Simplify
Your life

すべては「単純に《シンプリファイ》！」でうまくいく

ローター・J・ザイヴァート＋
ヴェルナー・ティキ・キュステンマッハー
小川捷子＝訳

飛鳥新社

すべては「単純に！《シンプリファイ》」でうまくいく

すべては「単純に《シンプリファイ》！」でうまくいく　もくじ

リラックス
ストレス

カバーデザイン　本山吉晴
本文デザイン　地引結子

序　章

「シンプルにする」とは?

●幸せで、充実した人生を送るために

今、あなたが手にしているこの本は、あなたのこれからの人生で、とても重要な本になることでしょう。これまでの多くの人たちとのさまざまな話し合いや講演、セミナー、講習会などの経験から、私たちは、この本があなたの人生を、いい意味で根本から変えてしまうと信じています。

これから紹介するのは、「人生の達人になる方法」です。

あなたの中に潜んでいる可能性を引き出し、それを「最大限に発展させるための方法」と言ってもいいでしょう。

あなたに生きがいを与えられる人は、あなたの他にだれもいません。生きがい、それはあなたの中にあり、常に出番を待っているのです。

充実した人生を送るということは、チャンスをつかみ、それを発展させること、自分の居場所を手に入れ、そこであなた自身と周りの人たちが、理想的な形で前進するということです。つまり、自己愛と隣人愛との理想的なバランスが大事なのです。

これからお話しする「シンプリファイへの道」を歩んでいけば、あなたは人生の生きがいと目的を見いだすに違いありません。内面的にも、外面的にもきっと変われるはずです。

「どうしてそんなに幸せそうなの？」と人から聞かれるかもしれません。自分の中に新大陸を発見するかもしれません。今まで想像もしなかったエネルギーが湧《わ》いてくるかもしれません。そのうえ、これまで知らな

かった、肉体的な満足感を得ることができるかもしれないのです。

経済的な状況も良くなるでしょう。あなたが必要とするだけのお金を手に入れることもできるはずです。周りから評価され、自分でも人生が楽しくなるに違いありません。

●「シンプルにする」って、いったいどういうこと？

「シンプリファイ」とは、「シンプルにする」ということです。

「シンプルにする」という言葉を聞いて、あなたの頭に真っ先に浮かぶのは何でしょうか？

多くの人々にとって、この言葉は、もともとポジティブな意味合いを持っています。だれもが、今の複雑きわまりない暮らしに心底うんざりしているからです。ケータイの使用説明書一つとっても、ぎょっとするほど分厚いのですから。

だれもが周りの声なき声、「もっと、もっと、もっと」にたえずせきたてられています。市場にあふれ返る品物を見て、私たちは今、好きなものを自由に選べる楽しさより、ストレスのほうを感じるようになっています。仕事も複雑になるいっぽうです。口に出して言うかどうかはともかく、私たちは、たえず何かに追い立てられ、脅されているように感じています。「あなたも同じようにしないと落ちこぼれるよ」。

「人生をもっとシンプルに」と言うと、「どうして？」と言う人たちもいます。

こういう人たちは、「もっとシンプルに」の「もっと」のところだけに反応しているのです。つまり、「シ

ンプルにしなさい」という新たな要求だと勘違いしているのです。「なんだって？　このうえさらに人生をシンプルにする方法まで学べというのか!?」と。

ここでの「シンプルにする」というのは、「わかりやすく単純に生きよう」ということです。余計なものを身につけず、本来の姿に立ち返ろうということなのです。

それは、難しいことでも何でもありません。そもそも人間は、物事を単純化しようとする生き物なのですから。

●「シンプルであること」、それは人間の基本的な欲求

奇妙に思われるかもしれませんが、あらゆる複雑な活動や発明は、もともと人生を「シンプルにしたい」という気持ちから発しているのです。

庭付きの広い家を建てるのは、仕事を終えた後などに、ゆっくりソファーに横になったり、庭のベンチに座ったりして、のんびりと何もしないでいたいからなのです。また、食器洗い機が発明されたのは、めんどうな洗い物をしないで、家事をシンプルにしたいという気持ちからです。

お役所の建築課は、隣近所のもめ事をあらかじめ取り除くために作られました。隣人との不快な諍《いさか》いに使う時間を削り、その時間をもっと意味のあるものにし、シンプルに暮らせるようにするために。

老後の貯え、土地を買うこと、さまざまな電気器具、役所の機構、そのほか複雑きわまりない多くのものは、つまるところ、もっとシンプル

に、もっと幸せに暮らせるようにと作られたものばかりです。

ところが、せっかくのそのような意図が、生かされないことが少なくありません。

年をとって、経済的にも安定した暮らしをしたいという夢は、結局、世代や階層の間での奪い合いを生み、マイホームの手入れも、住む人から多くの時間を奪うやっかいなものになりかねません。さらにそれらを管理してくれるはずの行政が、管理される側にとって、一種の権力になってしまったことは、おそらくどなたも経験ずみのことでしょう。

というわけで、シンプルであるための努力は、逆に次から次へと、複雑なものを生みだすことになってしまいました。

この本が伝える、「シンプルな人生を送るための方法」は、この間違った流れを変え、私たちの暮らしをその本来の目的に導くものです。目指すところは、「単純さ」。そこには充実し、成熟した人生があります。この道を進むにつれ、あなたの人生のあらゆる領域に、一種の心地良い空間が生まれます。そしてあなたは、大きく頷《うなず》くことでしょう。「なんだ、簡単じゃないか！」。

この「シンプリファイへの道」は、「古き良き時代に戻ろう」とか、フランスの思想家ルソーの唱えた「自然に帰れ」というような、ノスタルジックな動きとは縁のないものです。

「シンプリファイへの道」とは、あなたの目の前、およびあなたの中にある「単純さ」へ行き着く道なのです。その際、失敗を含め、あなたのこれまでの人生経験がおおいに役立ちます。

これは、外側（あなたの身の回り）から内側（あなたの内面、心の中）へと進んでいきます。あなたの机や家、時間の整理に始まり、人間関係へと続きます。そして、あなたを心身ともに健《すこ》やかにします。終着駅は、あなた自身。さあ、元気に出発してください。

●7段の人生ピラミッド

「シンプリファイへの道」は、ピラミッドに置き換えることができます。

このピラミッドは7段からなっており、さらにそれぞれの段が、人生のさまざまな局面のシンボルとなっています。

上へ向かう道は、より内面（心の中）へと向かうものでもあります。どの段階においても、たった一つでも突破口を開いたら成功です。どこから始めてもかまいませんし、必ずしも順番通りに進む必要はありません。

とはいえ、単純化への欲求は、一番下の段階から始まる場合が多いのもたしかです。つまり、机の上や住まいを片づけることからです。したがって、この「シンプルな人生」への七つの段階は、まず身の回りの片づけから始まっています。

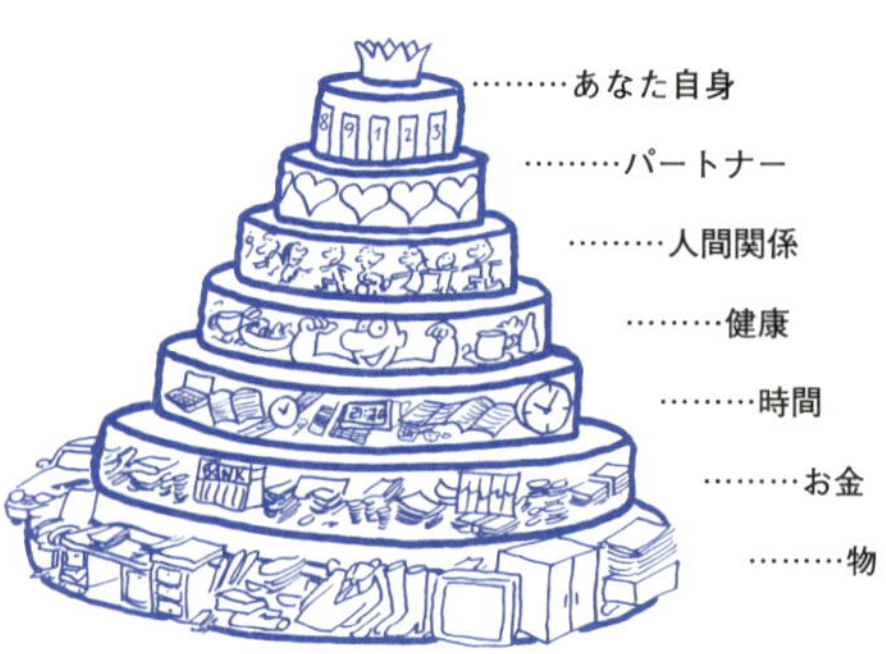

1段目　物

これは、あなたの持ち物すべてを意味します。

統計によれば、だれでも平均1万個以上の品物を持っているとか。けれども、これには個人差があります。あなたは、その何倍も持っているかもしれませんね。

まず、机の上に空き地を作ります。そして、あなたが書類の山を支配しているのであり、けっして書類の山があなたを支配しているのではないという「快感」を味わってください。

それがすんだら、クローゼット、家全体、ガレージへと進んでいきます。その際、あなたの個人的な持ち物と、仕事場で使うものとを区別しないように。

2段目　お金

資産は本来バーチャルなもの。これをすっきりさせるのは、家の片づけより難しいのは当然のことです。ここでは現金や預金だけでなく、借金や貸付金のことも扱っています。また、具体的なお金の対処法や心理的な心のバリアについても触れています。

3段目　時間

さらに難しいのが、時間という「物」です。

数字のうえでは、だれにでも1日は24時間ありますが、問題は、その中でいったいどれくらいの時間を、あなたが自由に使えるのかということです。パートナー、子ども、顧客、上司、同僚、親戚《しんせき》、そのだれに対しても、あなたの時間を割かなければなりません。おまけに日々の家事や雑用、趣味のための時間も必要ですし、人によっては、秘密の恋愛にも時間がいるかもしれません。

そうなると、あなたが自分のためだけに使える時間、我に返り、じっくりものを考えたり、何もせず、ゆっくりしたりする時間はいったいどれくらいあるのでしょうか？

ここであなたは、時間を整理してシンプルにすることができます。その結果、ゆとりある暮らしができるようになるだけでなく、自分の内面に、さらに一歩近づくことができるのです。

4段目　健康

私たち人間にとって、切っても切れない親密な関係がある持ち物といえば、自分の身体です。残念ながら、私たちはどこかが悪くなるまで、自分の身体に注意を払おうとはしません。ですが、病気になると、人生はそれを軸に回ってしまい、他のものはすべて押しのけられてしまいます。

ここでは、病気にならずに、心身ともに健康に過ごすことのできる、シンプルな方法をお教えします。

5段目　人間関係

人間関係は、ともすると人生をひどく複雑にします。策略、不和、いじめ、嫉妬《しっと》などは、人間関係の悪《あ》しき産物です。けれどもまた、仲の良い人との関係、あるいは社会への参加なども、あなたがそのために消耗したり、仲間たちのためにばかり働き、自分の欲求を抑え込んでしまったりすれば、負担になる可能性があります。ここでは、あなたの人間関係をすっきりとシンプルにします。あなたは自由になり、その結果、もっとあなたを豊かにし、発展させてくれる人間関係を結べるようになります。また、両親や親戚《しんせき》との関係をスムーズにするお手伝いもします。

6段目　パートナー

愛がこれほど高く格付けされているのは、信頼できるパートナーを見つけたとき、私たち人間は、自分を最も知ることができるという確信があるからです。もちろんこの場合、相手は必ずしも結婚相手だったり、恋人だったりする必要はありません。

またここでは、仕事に打ち込むと幸せな恋愛や結婚は望めない、という思い込みからも、あなたを解放します。

7段目　あなた自身

ピラミッドの頂点は、独特な空間です。

その入り口には、あなたの「人生の目的」や「充実感」、そして「幸福に対するあなたのイメージ」が掲げられています。旅の終わりにあたってあなたは気づくでしょうが、中は驚くほどシンプルです。しかし、けっして空っぽなのではありません。あなたという人格が満ちているのです。

ここであなたは、自分と出会うだけではありません。ここから出てくるときには、あなた自身、びっくりするような変貌《へんぼう》を遂げていることでしょう。

●ピラミッドの階段を上る前に……

これから紹介するさまざまなアイデアは、すべて、非常に単純な原理に基づいています。

「減らせば減らすほど豊かになる」

そのためのキーワードは「脱」です。

例えば、「脱・混乱」「脱・緊張」「脱・思い込み」。これを日々の暮らしにぜひ組み入れてください。そうすれば、あなたはすでに「シンプリファイへの道」の真ん中に立っていることに気がつくでしょう。

第１章
物
（アイデア1〜4）

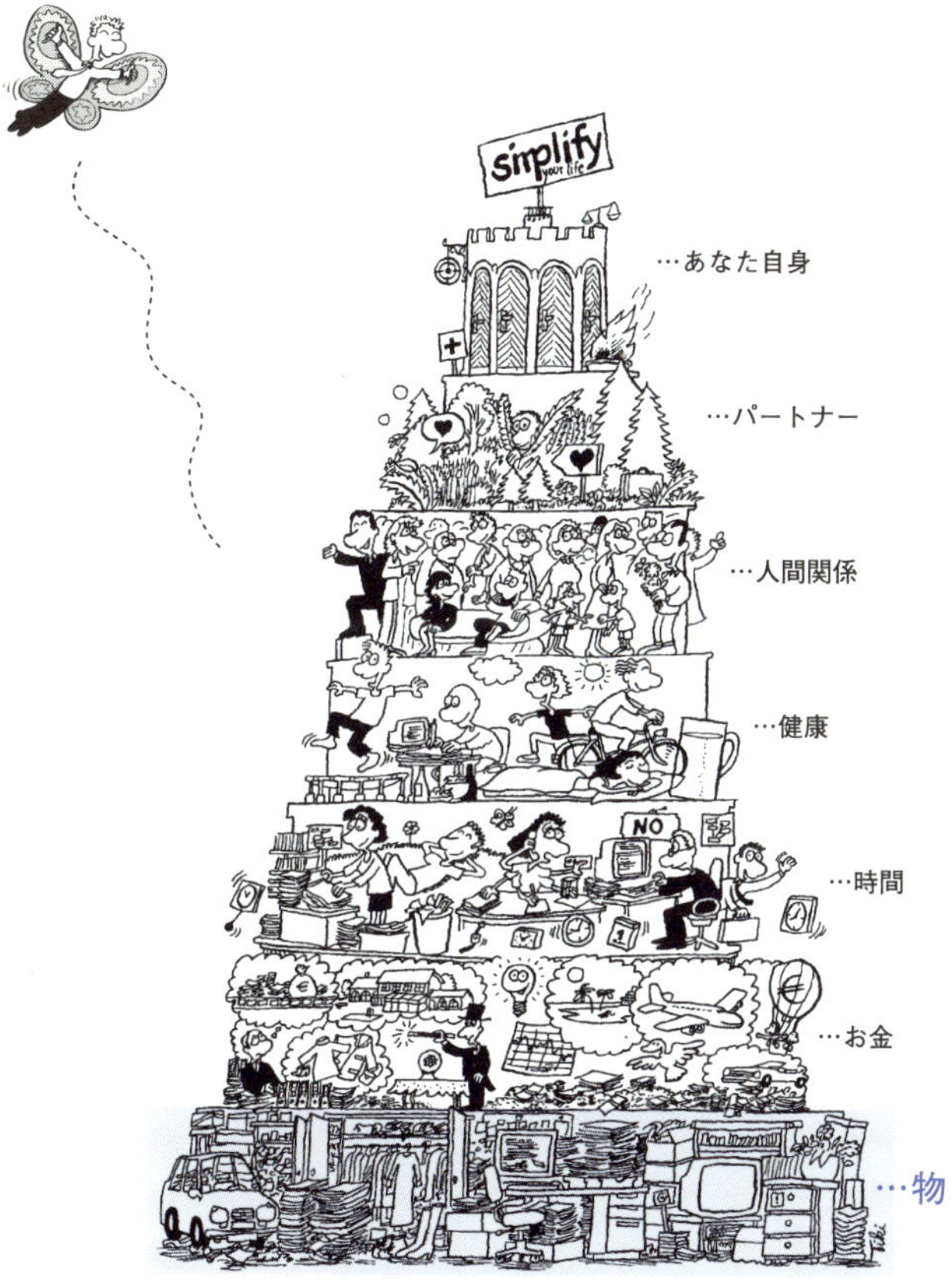

物を整理することで
あなた自身を整理しよう

ここで紹介する方法のうち、少なくとも一つは、すぐにやってみてください。きっと、これまでにない新たなエネルギーが得られることでしょう。

シンプリファイのアイデア1

まず、机の上を片づけよう

人間は、自分でも驚くほどの困難を克服することができます。また、とてつもないエネルギーを導き出すこともできます。さらに、敵をうち負かす技術を考え出すこともできます。ですが、常にそれは一歩ずつです。

何かしようとしても、どこから手をつければいいのかわからない人は、ただ途方に暮れるだけ。これは、ストレスの大きな原因となります。このことは、あらゆる局面に当てはまります。先に進めないだけでなく、探し物のために時間を浪費し、頭の中は混乱する……。

もしあなたが、自分の机の上を見ただけでうんざりし、目の前に見通しのきかないジャングルが広がっていると感じるようなら、まず最初に、次にあげる「四分円法《しぶんえんほう》」を試してみてください。これは、一種のカンフル剤として非常に効果があります。

え？　忙しくて机を片づける暇などない？　そういう人こそ、ぜひやってみてください！　たとえそのために2時間、あるいは3時間かかったとしても（それ以上かかることはまずありません）、その時間は必ず報われます。なぜなら、その後は頭がスッキリし、やる気が出てくるからです。その結果、整理整頓《せいりせいとん》のために「失った」時間を、あっという間に取り戻すことができるのです。

●「四分円法（アイゼンハワー方式）」

「四分円法」。これは、歴代のアメリカ大統領に受けつがれてきた方法で、「アイゼンハワー方式」として知られているものです。

まず、何も載っていない机（あなたの仕事机ではありません）の上を四つのスペースに仕切ってください。適当な机がないようでしたら、床の上でもかまいません。四つのスペースの仕切り方は、

1、捨てるもの
2、人に任せるもの
3、重要（急ぎ）なもの
4、特別な場所

です。

準備ができたら、あなたの机の上を占領しているジャングルを、向かって右奥から「時計回りに」整理していきます。このとき、１枚の紙といえどもけっして残さないこと。時間をとって、それにかかりきりになることが大事です。気を散らしてはいけません。そうすれば、びっくりするようなエネルギーと達成感が手に入ること請け合いです。

それでは、一つひとつ詳しく説明していきましょう。

1、捨てるもの

ここには、捨ててもいいものを残らず集めます（そのための大きな入れ物を用意しましょう）。

例えば、

＊古くなった旅のパンフレット

＊2週間以上過ぎた新聞

＊半年以上たったカタログ

＊とりたてて使う予定のない雑誌

＊3年以上たった、あるいは今後2年間訪れる予定のない場所の地図

＊何年も前のクリスマスカード

＊去年のカレンダー

＊作る予定のない料理のレシピ

＊使っていない品物の使用説明書

＊期限切れの保証書……などなど

なんとたくさんの余計なものを抱え込んでいたのかと、あなたはびっくりするに違いありません！

2、人に任せるもの

2番目は、他人に任せられるものすべて。

「他人を煩《わずら》わせるのは気が引ける」「面倒なことは自分でしなければ」などと思っているあなた、あなたの机の上には、かなり多くの書類が溜《た》まっているのではありませんか。

とにかく、このような気持ちは捨ててください。そして、断固仕事を人に割り当てるのです。そのとき、同僚、家族、学生アルバイトなど、思いつく人は、みな取り込んでしまいましょう。

3、重要（急ぎ）なもの

ここには、自分で片づけなければならない用件をすべて集めます。その際、最初に何をすべきかを、この時点ではっきりさせること。そしてここに集めるのは、必要最小限にします。

4、特別な場所

ここには、片づけながら同時に処理できるものを集めます。つまり、次のような方法を使うのです。

・電話で。書面でと思っていたことを、今ここで電話ですませてしまいましょう。もし相手が捕まらなければ、これは3に置きます。
・ファクスですむものは、ファクスで。
・収納する。ここですぐ、しかるべきファイル、あるいはハンギングファイル（これについては26ページを参照）にしまいます。

●「アイゼンハワー方式」三つの原則

　このとき、次の三つの原則さえしっかり守れば、「アイゼンハワー方式」は１００％成功します。

①中間地帯を作らない

②書類を手にしたら、その場ですぐ処理する

③５、６番目の場所を作らない

　これを終えたら、あなたはすぐ、新しい作業に移ることができます。

　今、あなたの目の前には、すっきりとした空間が広がっています。あなたには、これで他の場所に手をつけるだけの気力が出てきました。

　それでは次に、資料の最悪の形、つまりうずたかい紙の山（２と３の整理）へと進みましょう。

シンプリファイのアイデア2

ファイルを使って、書類の山をなくそう

オフィスばかりでなく、これは、あなたの家の収納にも役立つ方法です。

「とにかく、モノを重ねないこと」

一番いけないのは「重要」と書かれた書類の山。どれも、すぐに処理しなければならないものばかりです。これがあなたを追い込み、気持ちを落ち込ませるのです。その最大の理由は、山になって積まれているために見通しがきかないこと。それぞれの書類にいったい何が書いてあるのか、もはやあなたはわからなくなっています。

それらは無言で、あなたにこう言っています。「ふん、どうせ片づけられないさ」。重要な書類は、机の上に積み重ねておけば忘れないですむ、というのは迷信です。他の書類が上に載ってしまったら最後、その効果はなくなってしまうのですから。それを防ぐには、ハンギングファイルとカレンダーなどのコンビが、最も効果的で確かな方法なのです。

●ぞっとするような書類の山

あなたにプレッシャーを与える山は、何も机の上にある書類の山だけではありませ

ん。あらゆる場に、それはあるのです。

まだ読んでない雑誌（いつか見たいと思っている）、新聞や雑誌などから切り抜いた面白そうな記事（いつかきちんと整理したいと思っている）、余暇のときなどの写真（いつかきちんとアルバムに貼るつもりでいる）、それどころかアイロンがけするつもりの洗濯物の山だってそうです。暮らしには、このように実にさまざまな「……の山」があるのです。

これに対する古典的な方法、「〇〇を手にしたら、その場ですぐ処理する」は、すでに「アイゼンハワー方式」のところで紹介しました。けれども、実際の生活ではなかなかこうはいかないのも確かです。書類には、繰り返し触れなければならないことがしばしば起きることでしょう。そうなると、山ができてしまうのは避けられません。

●ハンギングファイルで上手に整理

書類の山に対する「シンプリファイへの道」の原則は、次のようなものです。「回転させること」。つまり書類の山を崩し、90度回転させ、それぞれの項目別にハンギングファイルに入れて整理するのです。

見通しのきかなかった書類の山は、こうして見晴らせるものとなります。それを整理し、同じ種類のものをまとめ、優先順位をつけます。最も重要なファイルは、一番前に置きましょう。

こうすると、どんなメリットがあるのでしょうか？　もちろん、仕事を片づけなければならないことに変わりはありません。けれども、今度書類が来たときに、あなたはそれを決まった場所に入れることができます。それに、しばらくすると、それまでのうっとうしい感情から解放されていることに気づくはずです。

さらに、（特に急ぎの用件は）ファイルに入れたことを忘れないように、「重要事項リスト」を別に作っておきましょう。

●ハンギングファイルを仕事のパートナーに

まもなく、ハンギングファイルは、仕事場で中心的な役割を果たすことでしょう。これは司令部の役割をし、すべてに采配《さいはい》をふるうことになります。けれどもそれは、あくまでもあなたが、それを純粋に停車駅と見なせば、の話です。

どんな書類も、３カ月以上ここに置いてはいけません。

こうすればあなたは、これを、忠実でやる気にさせてくれる仲間にできるのです。

●書類の山を崩すための九つのルール

１、基本ファイルとサブファイルを作る

まずは、基本のハンギングファイルを作ります。そのうち、たえず取り出さなければならない書類や、そこに収めきれないものを入れるために、同名のサブファイルを作ります。

2、カレンダーなどに印をつける

期限のあるものは、忘れないように、手帳やカレンダーなどに書き込んでおきましょう。その際、サバを読まずにギリギリの期日を書くようにします。

3、ファイルに、気のきいた名前をつける

ファイルには、内容のはっきりわかるタイトルをつけましょう。そのとき、味もそっけもない「請求書」とか「緊急」などは避け、ユーモラスに。例えば、「払ってください！」「急げ！　急げ！」のような……。

4、たえずファイルを気にかける

常にファイルが「生きている」よう心がけ、気にかけてください。作りっぱなしにせず、時々チェックして中身を入れ替えることをおすすめします。

5、すぐに返事を出す

手紙やファクスの、返事用のひな形を入れるファイルを作っておくと便利です。そうすれば、すぐに返事を出すことができます。

6、どんなものでもファイルする

どこにも分類できないため、常に机の上に載ったままになっているものはありませんか。もしあったら、そのための新しいファイルを作りましょう。例えば、「子ども用」（父母会の通知、クラスの名簿、病欠の届け出用紙）などのように。

７、ファイルの表面も利用する

ファイルの表面に電話番号、担当者の名前、アドレス、締め切りの期日などを書き込んだり、シールを貼るなどしておきましょう。そうすれば、抜き出したときに、すぐに必要なデータを手に入れることができます。

８、オリジナルなものに

頭を使い、オリジナルなファイルを作りましょう。家で仕事をしているある父親は、子どものためのファイルを一つ用意しています（ステッカーやなぞなぞの切り抜き、「クマさんのグミ」の入った袋など）。

９、定期的に整理する

ハンギングファイルが分厚くなったら点検しましょう。とっくに用のすんだものが挟まっているはずです。10分も整理すれば、すっきり使いやすくなります。

●絶えずきちんとしているための五つのヒント

書類というのはたえず増え、膨れ上がっていくものです。そうなると、探す時間は長くなるし、情報は古くなるし、場所は狭くなるしで、けっきょくやる気が失《う》せてしまいます。

こうなってはいけません。次にあげる五つの方法をやってみてください。そうすれば、紙の洪水はなくなります。

1、何かを探すときには、何かを捨てる

何かを探すときは、ついでに古くなった情報を取り除きます。「小さな一歩。だが今すぐ」を実行してください。書類が紙くずになるたびに喜びましょう。それはあなたのファイルを軽くするだけでなく、心も軽くしてくれます。

2、何かを加えるときにも、何かを捨てる

書類を一つ加えるときには、必ずそれよりも古いものを一つ捨てましょう。書類を自分の持ち物だなどと考えてはいけません。たまたま来ている客だと思いましょう。

3、「ついでのとき」に整理する

毎日、仕事を終える前に一つか二つ、整理しようと思うフォルダやファイルを机の上に置いておきましょう。翌日これを「ついでのとき」に整理するのです。例えばコーヒーを飲んでいるとき、何かを待っているとき、気持ちが落ち込んだときなど。

4、有効期限をはっきりさせる

フォルダやファイルには、「有効期限」を書いておきましょう。期限切れの日をはっき

り記しておくのです。

例えば、「12月31日限りで廃棄」、「6月30日をもって資料室に移す」などのように。その他、手帳やカレンダーなどにも書いておくといいでしょう。

5、仕事が終ったら、まず整理を

ある仕事が完全に終わったら、それに関する資料やファイルに改めてもう一度目を通します。それから、それに関するすべての書類や本を、返すなり捨てるなりして整理しましょう。後になって使う可能性のあるものは、保存用のファイルに。

●走り書きのメモは、ノートに貼り付ける

走り書きした電話番号やメモが、机の上に散らばってはいませんか。

時々、それらのメモを集めて、ノートに貼り付けましょう。タイトルは「×月○日まで机の上にあったもの」。これの良いところは、机の上がきれいになり、かつ、いざというときには、すべての情報が手に入ることです。

●渋滞には、早めに気がつくようにする

片づけたいと思う気持ちがあっても、なかなかうまくいかない場合、それは些細《ささい》なことが原因していることとが多いのです。ちょっと見ただけでは気がつかない「渋滞」がそれです。では、なぜそれに気がつかないかといえば、それが整理の最後に起こるからです。

一つ例をあげましょう。あなたは、あちこちから送られてきた領収書を一つにまとめて、机の上に積み重ねました。さて、これを整理しなければなりません。けれども、ファイルはいっぱいです。新しいファイルを用意しなければなりませんが、入れる場所はなさそうです。大々的に整理し直さなければなりませんが、今、その時間はありません。

その結果、机の上にはその書類だけでなく、次から次へと書類が山積みになってしまいます。こうなるとあなたは、もうどこに何があるのかわからなくなり、書類の山をひっくり返すだけの気力がなくなってしまいます。こうして悪循環が始まるのです。

このような悪循環は、なにもあなたの机の上だけにとどまりません。それは、本や書類棚、引き出し、物置、クローゼット、食器棚など、暮らしのすべてに当てはまります。

●目の前の問題をすぐに解決する

何かを片づけるときのキーワードは、「よどみなく」です。

今問題なのは、書類が多すぎることではありません。流れが止まっているということです。書類をあっちへやったりこっちへやったりすることと、それを管理することの大きな違いは、即座に決定を下すかどうかにあります。

「重要」と書かれた書類の山に行ったものは、ほとんどそのまま、手つかずで残ると思ってください。ちょうど排水口に何かがつまったときのように、これは流れを止めてしまい、あなたのやる気にブレーキをかけてしまいます。とにかく、今すぐに、それをどけましょう！

停滞に対する感覚を養いましょう。今「片づけ」を邪魔しているのは何だろう？　やる気のなさ？　ではその原因は何だろうか。あふれ返ったフォルダーが原因？　それとも書類の新たな保管場所がないから？

ここでまた、「小さな一歩」を思い出してください。

何も今すぐ、すべてのバリアを取り除く必要はないのです。けれども、一つでも邪魔なものを見つけたら、その場ですぐにそれを取り除きましょう。

例えば、新しいファイルを準備する——たとえしばらくの間、それを床に置かなければならないとしても。

このようにして、悪循環を断ち切りましょう。

●「75％の規則」

収納場所が75％までふさがったら、それを満杯だと見なしましょう。ファイルもクローゼットも、常に75％の物が埋まっている状態にとどめておけば、とても使い勝手が良くなります。

●「ステップファイル」のススメ

前にも言いましたが、「書類は、一度手にしたらすぐに処理する」と言われても、実際問題として、なかなかできるものではありませんね。

例えばたった今、あなたに仕事が来て、書類が渡されたとします。

そのためには、同僚と話し合いをしなければなりません（でも、あいにく彼は席を外しています）。以前の書類を参照しなければなりません（それは地下の資料室にあります）。経理上のデータが必要です（このことだけを問い合わせるのは面倒です）。

つまり、たった1枚の書類から、こんなにもたくさんの仕事が生まれているのです。そうなるとたいていの場合、あの不吉な「書類の山」への運命をたどるのがオチ。そして、これをきっかけに混乱が始まるのです。

アメリカの生活評論家、バーバラ・ヘンフィルはこう言っています。

「決定を先に延ばすから、混乱が生まれる」

ではここで、ヘンフィルの考えた「ステップファイル」を紹介しましょう。まず、「打ち合わせをする」「電話をする」「資料室に行く」などのような、行為別のファイルを作ります。そして、書類が来たら、一番最初にする行為のファイルに、その書類を入れます。来た書類はすべて、そのようにファイルしていくのです。

そして、その行為が終わったら、次の行為のファイルに書類を順次移していきましょう。

この方法の長所は、同種の仕事を一つにまとめられることです。もしあなたが「電話をする」と書かれたファイルを手に取れば、そこから自動的に、電話をするというひと続きの仕事が生まれます。書類の山ほど、見たときにやる気をなくさせるものはありません。けれども、このステップファイルがあれば、さしあたって何をすべきかが一目でわかるのです。

シンプリファイのアイデア3
余計な物を捨て、心身ともにすっきりしよう

余計な物を捨てましょう。

物が少なければ、そこから飛び立つことができるからです。家や職場にある不用品は、通常考えられているよりもずっと、私たちを精神的に圧迫しています。「散らかった書棚や、古い物であふれた部屋から目をそらすコツが身についているから平気」。あなたはこう言うかもしれません。けれどもあなたは、自分でも気がつかないうちにそれによって圧迫され、影響を受けているのです。

●がらくたが引き起こす、驚くべき四つの事実

部屋が慢性的に散らかっていると、掃除しにくいだけではありません。多すぎる物、ゴチャゴチャに重ねられた物は、あなたの心身に、たえず正面攻撃を仕掛けているのです。ここでは、多くの研究によって証明されている、がらくたによる悪影響をお伝えしましょう。

1、未来に対して消極的になる

もしあなたが今、手に負えないほど多くの品物に囲まれているとしたら、物事に対して、無意識のうちに

弱気になっています。これは、本来充分にやっていけるはずの面にまで影響を及ぼします。また、がらくたは、あなたの積極性にもブレーキをかけるのです。なぜなら、それらは多くの場合、思い出と結びついており、そのため、過去に引きずられてしまうからです。

★アドバイス

特別にすてきな思い出の品だけを取っておき、あとは思いきって捨てましょう。古い物を捨て、新しい物を入れる余地があるということは、あなたの人生に新たな出来事が起こりうるということでもあるのです。

2、肥満を引き起こす

がらくたは、人を太らせる――これは冗談でもなんでもありません。この奇妙な発見をしたのは、イギリスの生活評論家、カレン・キングストンです。キングストンは、こう言っています。

「がらくたを抱え込んでいる人は、太りすぎのことが多い」

ひょっとすると、付きすぎた脂肪やあふれる品物は、自己防衛に役立っているのかもしれません。また太りすぎは、しばしば精神的な便秘にも通じます。あなたがなかなか思い切れず、思い出の品を溜《た》め込んでいるのと同じように、あなたの身体も代謝が衰え、「溜める」方向に向いているのです。

★アドバイス

住まいのダイエットを始めましょう。こちらのダイエットのほうが、身体のそれよ

り楽です。ある女性はこう言っています。

「物が少ない家では、あまりおなかいっぱい食べられませんでした」

３、集中力を妨げ、意欲を失くす

散らかっていることと、仕事への意欲とは似たような関係にあります。つまり散らかっていると、物事を先に延ばしがちになるのです。がらくたは、エネルギーを抑制し、集中力を妨げます。

★アドバイス

重要な仕事をするときには、何が何でも、まず最初に、机とその周りを片づけましょう。

そのために使った時間は、その後でもっと集中でき、もっと楽しく、もっと能率良く働くことによって取り戻すことができます。

あなたの机を、自分の脳だと見なしてください。机の上の物は、すなわちあなたの頭の中に入っている物です。片づいた机は、とりもなおさずすっきりした頭です。思い切って片づけると、新たなエネルギーが湧《わ》いてくることに驚くでしょう。

それだけではありません。研修を受けたり、新しい分野の仕事を探したり、人とのつき合いも、もっときちんとできるようになるでしょう。ゆっくり休暇を取るようになったという人もいます。

４、お金が思うように貯まらない

第一に、がらくたにはお金がかかります。

捨てるのが嫌で、やたらと何でも集める癖のある人は、そうすることで、自分はお金を節約していると思っています。けれども、「いつか使うかもしれない」物のために、実際は多くのお金が使われているのです。

このような人たちは、特売のときなどに、ついいらない物まで買ってしまいます。さらに、それを収納するための物を持たなければならないので、ますますお金がかかってしまいます（書棚、スーツケース、食器棚、さらには家の改造に至るまで）。

それに、こういう人たちの場合、これらの品物の手入れや保管に時間をとられ、せっかく集めた物を使う時間がなくなることも少なくありません。

★アドバイス

とにかく整理整頓《せいりせいとん》をしましょう。できたら今日、今すぐ始めることです。具体的にはどのようにしたらいいのか、それは、次にお話ししましょう。

●ある程度の乱雑さを受け入れる

「私たちは、ドラゴンに支配されたカオス（混沌《こんとん》）に取り囲まれている」

古代バビロニアの人々は、世界をこんなふうに考えていました。このすさまじいカオスの中にある小さな気泡、それが私たちの住んでいる地球であり、気をつけないと、地球はたちまちカオスに侵入されてしまうというのです。

これは、私たちの日常を見事に表現しています。つまり、秩序というのは自然に生じるものではないのです。放っておけば、散らかるのが普通であり、私たちは毎日、それと戦わなければなりません。「マーフィーの法則」をまねるとこうなります。「散らかるかもしれないものは、必ず散らかる」。

そうは言っても何一つ散らかっていない家、なめたようにきれいな住まいは、それを保つための努力を考えると、けっして人生をシンプルにはしてくれません。それどころか、住んでいる人間にとって大変なストレスになります。考えようによっては、片づけや掃除というのは、「不健康な癖《へき》」ともなります。いや、「生きがい」にさえなりかねません。

ある程度の乱雑さは、そのまま受け入れましょう。でも、カオスドラゴンに無条件降伏してはなりません。

●小さなことから始める

引き出し一つ、本箱の棚一つから始めましょう。

徹底的にやろうとしないこと（地下室を隅から隅まで片づけよう、家中のクローゼットを大掃除しよう、などと思わないように）。仕事を小さく区切るのです。さもないとやる気がなくなり、再びカオスが勝ちを収めます。

一つのまとまった単位を選び、そこから始めましょう。完璧にやろうとするのはもちろんですが、一つの引き出しを「少しずつ何度も」片づけるのもよくありません。2、3時間で整理がつくものから始めましょう。例えばスパイスの棚、机の引き出し、クローゼットの靴下ケースなど。それから、次の五つのステップに従ってください。

1、入れ物の中を、いったん空《から》にする

どこを片づけるか決めたら、いったんそれをすっかり空にしてください（棚や引き出しなど）。

2、ぴかぴかに磨く

それをきれいに磨きます。

3、中の物を三つに分ける

それまで中に入っていた物を、①とっておくもの、②捨てるもの、③保留にしておくもの、の三つの山に分けます。

①とっておくもの

ここに置くのは、まだ充分に使える品物です。これはきちんと整理して、元の場所にしまいます。ただし、厳しく選別してください。それは本当に良い品でなければなりません。一番いいのは、なんらかの気持ちのつながりがあるものです。例えば、とても気に入っているとか、使うたびにうれしくなるとか。

また、いくつか同じようなものがある場合は、中で一番いいものを選び、残りは、次の二つのどちらかに分けましょう。

②捨てるもの

ここに置くのは、壊れたものや時代遅れなもの、余分なもの、あるいは少なくとも1年間は使っていないものです。

処分するとき、物によってはフリーマーケットに出すのもいいでしょう。ただし1回目で売れなかったら必ず処分すること！

③保留しておくもの

とっておくか捨てるか、決心がつきかねるものはここに置きましょう。

これらは、中身がわかるように紙に書くなどして箱にしまい、物置や納戸、押し入れなどに入れておきます。そうすれば、必要なときにまた使うことができます。

中身は、半年ごとにチェックしましょう。その間に、びっくりするほど多くのものに対して結論が出るに違いありません。そして、心安らかに捨てることができるでしょう。

捨てるかどうかを決めるもう一つの方法は、がらくた専用の引き出しを作ることです。二つの部屋に一つ、がらくた用の引き出しを用意し、ここにどこにも区分できないものを入れておきます。

けれども、引き出しはあまり大きなものを選ばないように。そして定期的に中身を空にします。３カ月もたつと、80％もの品を捨てることができるはずです。それが必要でないことがわかるからです。

4、小さな物は、1カ所にまとめる

小さな物は、箱に入れて1カ所にまとめましょう。こうしておけば、きちんとした状態を保つことができます。そして、中に何が入っているか、見やすいように大きく書いておきましょう。

5、フレー、フレー

あなたがやり遂げた小さな秩序を見て喜んでください（まだたくさんやることがある、などとブツブツ言わないように）。いいですか、家や机がだんだんと散らかったように、こうしてだんだんと片づいていくのです。

●宝石箱の原理

プロが使うような、上質な入れ物を用意しましょう。

机まわりの品は、特にいいものを選んでください。

安い物を買うと、人は無意識にたくさん詰めこみます。その反対に高い物を買った場合、私たちは知らず知らず入れるものを吟味《ぎんみ》しています。高価な宝石箱に、古いボタンやクリップを入れる人はいませんね。

●照明にもひと工夫

もうおわかりでしょう。シンプルな人生の秘訣は、一気にすべてを解決するのではなく、とりあえずどこか1カ所に突破口を開くことなのです。

一部屋でかまいませんから、とにかくすっきりさせてみましょう。物のないところでも本当に心地良く感じることができるか、実験してみてください。この部屋は、あなたにこれまで知らなかった落ち着きを与えてくれるかもしれません。リビングあるいは寝室を、瞑想《めいそう》したくなるような、簡素なものにしてみるのもいいでしょう。

物がないからといって、冷たい感じになるとは限りません。それより、冷たすぎる感じの色や、ツルツルした材質、明るすぎて、包み込む感じのない照明のほうが問題なのです。天井からカンカン照らす電灯や、光を散らすフットライトなどもやめます。それより、あまり背の高くないスタンドを使いましょう。ハロゲンランプやスポットライトは、けっしてじかに目に入るようにせず、できるだけ低いところに向けるようにしましょう。

●「コレクション」と「とっておく」は大違い

テレフォンカード、本、コーヒーカップ、ぬいぐるみ、切手など、何かを集めている人は多いでしょう。

コレクションとは、私たちの周りにある、見通しのきかないほど多くの物を、体系化することでもあります。

どうぞ、自分の集めているものに厳しい目を向けてください。

それを始めたのはいつですか？　きっかけは何？　今も始めた頃と同じ熱意がありますか？　それとも、このコレクションのために気持ちが過去に囚《とら》われていませんか？　もしそうならすっぱりとやめましょう。

たいていの場合、減らすより、きっぱりやめるほうが簡単です。もしプレゼントしたり、

売ったりすることができる（そして喜んでくれる）相手がいれば、そうしてください！

「コレクション」と、ただ「とっておく」を厳しく区別しましょう。

本当の意味での「コレクション」の場合、そこには「ポリシー」と「専門性」があります。例えば、模様のついた陶器のエッグスタンド、あるいは自分と同じ名字の人の名刺、あるいはテディベアなど、独自の収集で、すてきな趣味です。手間をかけ、場所を与えても惜しくありません。

それとは違い、「とっておく」のは、本来なくてもすむものをただ貯蔵することです。しかも、これらをとっておくためには、時間も場所も必要です。こういうものは知らない間にどんどん増え、手がつけられなくなります。そして時間がたつにつれ、ただのがらくたに変身するのです。

さしあたって必要のないものをとっておく理由はいくらでもあげられます。例えばそれをくれた人に対する敬意をはじめ、いつか使うことがあるかもしれないとか、買ったときに高かったからとか、子どもや孫に残そうと思っているとか……。

ここにあげた理由のうち、一つでも当てはまるものがあったら、思い切って処分しましょう。「重要な品」と、ただの「思い出の品」をゴチャゴチャにするのではなく、選び抜いた品だけをとっておきましょう。

●温かい気持ちで、人にゆずる

不用品を処分する、最もポピュラーな方法は、他人にあげることです。

けれども、ここでご注意。もらった人の95％は別にうれしくなかったという報告があるのです。

ですから、人に不用品をあげるときには、相手が本当に欲しがっているかどうか、確かめてからにしてください。そのうえで温かい気持ちで人にゆずる、これに勝る方法はありません。

●捨てることによって、大事な時間を浮かす

新聞や雑誌や本は、気前よく処分しましょう。

計算してみてください。２センチの厚さの雑誌をきちんと読むには、およそ4時間かかります。たとえ決めた記事だけを読むにしても1時間はかかるでしょう。厚さ50センチの書類入りの箱は、それを読み終えるのにおよそ1週間から1カ月かかります。

それだけではありません。「あれを読まなくちゃなあ……」という気持ちはプレッシャーにもなります。

●床に物を置かないようにする

床に転がっている品物は、「カオス」を表しています。

床に物を置かないだけで、どれほどきちんとした印象を与えるか、それは驚くほどです。いっぱい詰まった棚や、食器棚、すき間のない壁のほうがはるかに影響が少ないのです。

シェーカー教徒（アメリカのキリスト教の一派）は、あらゆるものを壁にぶら下げました、ほうきも、服も、靴もイスも。

これをまねてみましょう。例えば楽器やハンドバッグ、その他慢性的にあたりにゴロゴロしているもの（ただしきちんとした出番のあるもの）を壁にかけてみましょう。もし目障《めざわ》りなら、目立たない場所を選んでください。ただ、あまり神経質になる必要はありません。床に転がっているより、このほうがずっと気にならないはずですから！

●あなたの住まいは、あなたの精神状態を映す鏡

今までにお伝えした方法で、どれか一つ、部屋を片づけてみて気に入ったら、家全体をシステマティックに、一つひとつすっきりさせていきましょう。

「シンプリファイ」の基本的な考え方とは、次のようなものです。

「あなたの住まいは、あなたの人生のシンボルである」

つまり、あなたの精神状態が住まいに反映しているのです。目には見えなくても、住んでいる人は、なんらかの痕跡《こんせき》を家に残すものです。それどころか引っ越した後でさえも。

最も重要なのは、いらない物を処分すること。あなたの住まいを一つひとつ点検して、あなたの人柄がどういうふうに住まいに表れているかを見直してみてください。

・玄関――あなたと他人との関係

入り口（玄関）がどうなっているかは、とりもなおさず、他人に対するあなたの気持ちのありようを示しています。それを知るために、次のようにしてみてください。

人の服を借り、その服を着ていったん家を出ます。そして、訪問客のつもりになって家に帰ります。他人の目で玄関をよく見ましょう。しおれた植物、読みにくい表札、古紙の山、そこら中に転がった靴や手袋など——。

玄関の周りをすっきりと片づけて、だれもが入りやすい雰囲気にしましょう。そうすれば、すぐに新しい友達ができます。自分でも家に入るときに気分がウキウキするに違いありません。

・ドア——あなたの開放度

家中のあらゆるドア、とりわけ玄関のドアが大きく開くよう、気をつけてください。

ノブに何かをぶら下げてはいけません。タンスや本箱のために半分しか開かない、などということのないように。ノブが壊れたら修理し、軋《きし》む蝶番《ちょうつがい》や鍵穴には油を差しましょう。私たちの経験から言うと、ドアがきちんとしていると、仕事もすいすい運びます！

・リビング——あなたの心

あなたが望もうと望むまいと、非常に多くの場合、あなたの精神状態は、リビングの状況に影響を受けています。そうは言っても、チリ一つない片づいたリビングは、グチャグチャになった汚い部屋と同じようによくありません。その中間がいいのです。

それから、部屋の真ん中にどかんとテレビを置かないようにしましょう。部屋の隅に置くか、つい立てのようなもので、隠すなどするといいでしょう。植物の鉢やきれいな装飾品で、住んでいる人間が、この部屋にいたくなるように工夫してください。柔らかな照明や、座り心地のいいイスはそのために役立ちます。

また、自分用の指定席を用意してください。喜んでそこに座りたくなるような、あなたが、自分と家とに満足できるような、そういう場所を作りましょう。

・キッチン――あなたのおなか

食事の支度をする場所は、あなたの身体の器官と密接に結びついています。台所ほど、さまざまなものの代謝が行われるところはありません。皿、カップ、グラス、ナイフやフォークなどが毎日何回も取り出され、使われ、洗われます。戸棚の奥、棚の上や奥などの届きにくい場所は、その代謝の邪魔をします。使わない食器や、とっくに賞味期限の過ぎてしまった食料品などが、そこで不健康なブレーキをかけているのです。

台所の棚をすっきりさせると、たいてい気持ちが軽くなり、消化器官がさらによく働き、贅肉《ぜいにく》も落ちてきます。1年間使わなかったものは、処分しましょう。期限切れの食料品、ソーサーがなくなったコーヒーカップ、蓋《ふた》のないポットなども。
ホットプレートや客用の食器など、時々しか使わないものは物置などにしまっておきます。オーブン用の道具のような、どちらかといえば、使う回数が少ないものを、棚の一番いいところに置かないよう気をつけましょう。
冷凍用の保存容器なども、しだいに増えていきがちです。黄色くなったり、破れたりしたものを選び出して、処分しましょう。

また、用途に応じて、物を分けてまとめましょう。朝食用のハチミツやジャム、ケーキやパンなどを焼くときのベーキングパウダーやバニラエッセンス、お茶やコーヒーなど。

シンクの下には、洗剤や園芸の肥料などをしまいましょう。

食器洗い機のすぐ上にある吊り戸棚は、一番よく使う物の指定席です。

もしここに、パーティー用の食器などを並べているとしたら、他の場所に移動してください。よく使うものを吊《つ》り戸棚の下段に、それほどでもないものを上段にしまいましょう。

食器洗い機の隣の戸棚には、食器洗い用の洗剤などを。シンク、冷蔵庫、レンジ――この三つの間に邪魔なものを置かないようにしましょう。

調理台に物を置かないように。調理器具はできるだけ壁にぶら下げましょう。食器洗いブラシは、シンクの上のほう、なべの蓋は、レンジの隣というふうに。

・床――あなたの経済状態

床に何も置いていないことの、特別な意味についてはすでにお話ししました。

戸棚や本棚がいっぱいになっていると、しばしば床は物置になり、あなたの動きを妨げます。

びっくりするような説があります。それによると、床があまり見えない暮らしをしている人は、たえず経済的な問題を抱えているというのです。

家で自由に動き回れないと、人間は自ら動きを「制限する」ようになり、経済的レベルが下がるというのがその理由です。

「豊かさ」は、どうやら立つことができる平面のスペースに左右されるようです。広々とした床は、豊かさのシンボルです。銀行の床が広々としているのはそのためです。また今日《こんにち》、企業のトップが、机の上に極力物を置かないようにしているのも同じ理由からです。

すべての部屋の床は、できるだけ空けておきましょう。新しい収納家具を入れて物を整理するとか、場合によってはフックを使って壁に物をかけるなど。散らかっているコードもまとめましょう。

・階段――あなたの発展性

今度、上に行くときに持っていこうと思って、階段に物を置いてはいませんか。

けれども、これが散らかるもとを作り、同時に「向上する」のを妨げてもいるのです。床がふさがっているのと同様、これも、新たなチャンスをふさいでいることをお忘れなく。

・クローゼット――あなたの身体

痩《や》せたいと思っている人の多くは、クローゼットの中に着られないものを捨てずにとっています。痩せたらまた着られるように……というわけです。

経験から言って、そうなることはまずありません。考え方を変えましょう。

きつい服はすべて処分し、今のあなたの状態で、心地良く感じる服を買いましょう。現在の自分の体型を受け入れることが、実はダイエットを成功させる近道なのです。出っぱったおなかは、憎まれると意地になってそのまま居残りますよ。

★クローゼットはこうしてすっきりと

次に、クローゼットを整理するためのチェックリストをあげておきます。すぐにクローゼットを開けて、選別を始めましょう。

①よく着る服は右端に集める

この２カ月間で、よく着たものを右端に集めます。これがあなたのお気に入りの服ですが、一般的に言って、それが全体の４分の１を超すことは、まずありません。

②１年以上着ていない服をチェックする

１年以上袖を通していないものは、今後もまず着ることはありません。そのような服のために場所を与えるのは、もったいないと思いませんか。たとえそれがとても高かったとか、親しい人の贈り物だったとしても、思いきって処分しましょう。

③あなただけの基準を作る

さて、整理はこれからです。全体の４分の１に入れた服をよく見て研究してください。これらを頻繁に着るのはどういう理由からですか？　デザイン？　サイズ？　色？　素材？　そこから、あなただけの「シンプリファイ」の基準が生まれます。今後はそれに従って服をそろえていきましょう。

奇抜な服はやめましょう。すぐに飽きてしまいます。できるだけ多くの機会に着ていけるような、統一のとれたコンビネーションを心がけましょう。

クラシックで、応用範囲が広いものを選びましょう。毎日着る服にお金をかけ、パーティードレスなどにはお金をかけないように。

けれども、アクセサリーやネクタイ、スカーフなどの小物は、その時々の流行のものを買ってアクセントにしてください。

・バスルーム――あなたのよりどころ

ここは、だれにも邪魔をされない場所でなければなりません。シャンプーやリンスなどの瓶やチューブは、目立たない場所に置いて、植物やお気に入りの品で、バスルームをまとめましょう。きれいな色のタオルなども、気分を楽しくさせてくれます。

・寝室――あなたの安定度

ここは、どこよりも落ち着いた場所でなければなりません。

汚れた洗濯物、古い物の入った箱、壊れたものなどは置かないこと。タンスなどの引き出しの中も、よく見てください。40足ものソックス、流行遅れのセーター。どれも、いらないものばかりです。きちんとした寝室は、ぐっすり眠れるだけでなく、幸せな夜も約束してくれます。

・物置――過去と無意識

もしあなたが、物置に何でも突っ込んでいるようなら、それは、あなたが未解決の問題をたくさん抱えている証拠です。

「いつか使うかもしれないから」と捨てられないものは、あなたを過去にしばりつけてしまいます。

ここはまた、気持ちのうえで未解決の問題があることを、示唆することもあります。ある出来事がプレッシャーになっているとか、兄弟のうちの一人とうまくいっていないことなど。

物置のがらくたは、そのままあなたの精神状態の表れです（落ち込み、やる気のなさ、憂鬱《ゆううつ》など）。

もちろんここは、物をしまうのに適したところです。けれども少なくとも、最低1年に1度は使うものでなければなりません。そして、すぐに取り出せるようにしておく必要があります（卓球台をどけなければ、スキー用具が出せないようでは困ります）。すっきり片づいた明るく風通しの良い物置は、あなたを元気にし、やる気を起こさせ、快適な気分にしてくれます。そうすれば、精神的な問題も解決できることでしょう。

・屋根裏――アイデアと未来

物でびっしり詰まった空間は、公私にわたってあなたの発展を妨げる可能性があります。それは、新たな人生に蓋《ふた》をするような働きをするのです。

もしあなたが古い物、思い出の品、着古《きふる》した服などで屋根裏をいっぱいにしているようでしたら、ぜひ整理してください。そうすれば、これまで考えてもみなかったような、新しい展望が開けるに違いありません。

屋根裏部屋は、絵を描くとか、ものを書くとか、何か創造的なことをするのに最高の場所です。また、ホームオフィスにもぴったりです。

大企業の社長は、自分のオフィスをビルの一番上に設けることが多いのですが、それは、動物が序列の高い順に木や岩の場所を決めるのと似ています。

・納戸——個人的な自由

物置や屋根裏がない場合は、部屋の一つを納戸にしているかもしれませんね。でも、住まいの中にある、このような「死んだ」空間はあなたの重荷になり、やる気と創造性にブレーキをかけます。

このような場所をなくしたほうがいいのですが、それが無理なら、せめてそこにしまってあるものを清潔に、きちんとしておきましょう。定期的に風を通し、閉め切りにしないように。

・ガレージ——あなたの行動力

スキーやさまざまなカート、サーフィンボードなどでガレージがいっぱいで、せっかくの車が外に置かれているようなら赤信号です。それらは入れっぱなしになることが多いからです。

簡単なルールです。車をガレージに入れるのが楽であればあるほど、精神的にも肉体的にもフットワークが軽くなります。

リビングやキッチンのところで記したやり方を、ガレージにも応用することができます。つまり、できるだけ多くのものを壁にぶら下げるのです。冬用のタイヤ、車の屋根に載せるための道具、さまざまな運動具など。大きな容器や掃除用具は、棚板に載せましょう。

●「整理」のための六つの法則

たとえ一時的に、きれいに片づけることができたとしても、その状態を長く続けることができなければなんにもなりません。初めのうちは、次の六つの法則を紙に書き、目に見えるところに貼るなどして、常に気にかけるようにしてください。

①何かを取り出したら、元に戻す
②何かを開けたら、閉める
③何かを落としたら、拾う
④何かを外して使ったら、またつるしておく
⑤買い物を思いついたら、すぐに書き留めておく
⑥修理しなければならないものは、１週間以内にすませる

●完璧《かんぺき》主義を捨てる

完璧主義は、落ち着いてきちんと暮らすことを妨げます。前にお話ししたバーバラ・ヘンフィルは言っています。「だらしない人にとって問題なのは、展望が欠けていることだ」。

そういう人は、細い筒から「しなければならないこと」ばかり見ていて、「今できること」を見ていないのです。そのため、うんざりしてしまい、エネルギーが不足するだけでなく、将来への展望もぼやけます。積み上げられた書類の山、片づけなければならないものが邪魔をするからです。

ヘンフィルの言うように「書類の山やグチャグチャになった引き出しの中だけでなく、完璧にしなければ、という思い込みを整理することが大切」なのです。

シンプリファイのアイデア4

探し物の第1位は「鍵《かぎ》」

90%もの人々が、たえず何かを探しているといいます。

ドイツのある調査によると、まず第1位が鍵（42%）、2位はボールペン（25%）、3位が眼鏡《めがね》（19%）、4位が財布（16%）です。

30歳以下の人は、年長の人よりも鍵を探す傾向にあり、50歳を超すと、眼鏡が一番よく忘れる品物になります（40%以上）。

いずれにせよ、絶え間なく探し物をするのは、時間の無駄になるばかりでなく、ストレスにもなります。

でも、ほんの少しの努力で防ぐことができるのです。

●決まった置き場所を作る

一番成功率の高い「整理の原則」は、とにかく決まった置き場所を作ることです。

多くの人は、家に入ったらすぐ、鍵の束を決まった場所に置こうとはします。ところが、なかなかそれを、守り続けることができません。なぜそうなってしまうのでしょうか。それは、「決まった場所」というのが、脳の深いところに記憶されていないからです。それではここで、それを解決する方法をいくつか紹介しましょう。

1、記憶のイメージを脳に焼きつける

玄関の近くに、決まった置き場所を設けましょう。もし玄関の近くに適当な場所がなければ、タンスの引き出しの中でもいいし、鍵かけボードでも箱でもかまいません。

まず、それに目立つ色をつけましょう。例えば、タンスの引き出しの取っ手のところに、目立つ色のビニールテープを貼ったり、可能であれば、その引き出しに色を塗ります。こうしておけば、鍵の置き場所が一つのイメージとなって脳に焼きつけられ、色のおかげで、印象がより強くなります。

2、置き場所に特徴のある名前をつける

それから、置き場所に特徴のある名前をつけましょう。例えば「青の引き出し」「星印の箱」など。このような名前は、分析と言語に強い「左脳」にしっかりと根を下ろします。また、簡潔な名前をつけることによって、脳は自分に、はっきりとした指示を与えることができるのです（「鍵を星印の箱に入れなさい！」といったような）。

こうすれば、物を探してイライラすることもなくなります。

3、ポジティブな気持ちを持つ

もっと効果的な方法は、それを使うたびにいい気分になるようにすることです。例えば、タンスの中に香りのいいポプリなどを入れておくのもいいですし、開けたときにパッと目の中に飛び込む、きれいなビロードの布切れを敷くのもいいでしょう。

4、「保管の法則」を作る

さらに次のようにして、よく置き忘れる品物、例えば財布や眼鏡《めがね》、ボールペンなどにも、はっきりとした「保管の法則」を作りましょう。「どんなときでも、財布はいつも鍵《かぎ》と並べておく」のように。

こうすれば、家に入ると同時に、財布は、常に鍵の横に並ぶことになります。

また、「眼鏡はいつも身につけるようにする（シャツのポケット、バッグの中、あるいはチェーンを付けて首から下げる）」「ボールペンは、常に電話の横のペン立てに置く」というのも役に立ちます。それから、すべてのカバンやハンドバッグにボールペンを1本入れておくと便利です。

5、旅行に出たときにも

旅先や出張先では、家にいるときより、さらに気をつける必要があります。

貴重品は常に身につけ、ホテルにいるときにも、決まった置き場所を作っておきましょう。最も大事なものは「胸の上」のポケットに。上着の左側の内ポケットには財布（現金、小切手、クレジットカード・身分証明書・テレフォンカード、免許証などを入れる）、ワイシャツのポケットには切符を入れましょう。そして左脇下の外ポケットには、ホテルの鍵を。フロントなどに預けず、常に持ち歩いたほうが安全です。

右側の上着の内ポケットには、パスポートや飛行機のチケットを。右脇下の外ポケットには、小銭や小額の紙幣を入れておきましょう。またホテルクーポン、検疫証明書など、いつも必要なわけではないものはスーツケースに入れておきます。

忘れまいとして何か対策を講じた人は、すでに最も重要な一歩を踏み出したことになります。

第2章
お　金
（アイデア5〜9）

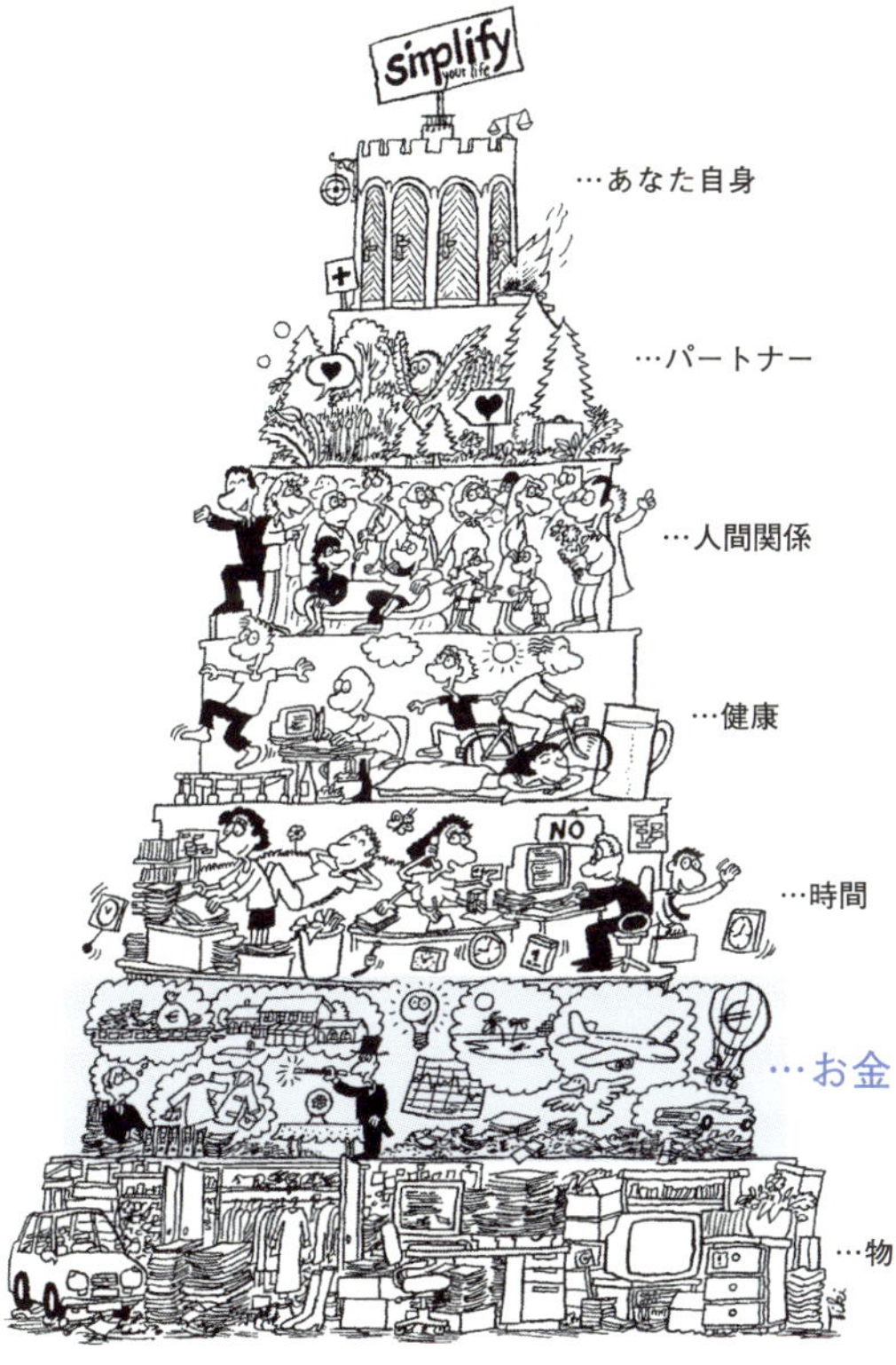

思い込みを捨て、お金と上手につき合おう

お金に対するさまざまな思い込みは、あなたの成長の邪魔をしています。お金に関する考えを整理し、気持ちをすっきりさせましょう。

シンプリファイのアイデア5

お金に対する思い込みを捨てよう

アレンスバッハ(ドイツ)のある研究所では、1955年からずっと、平均的なドイツ人の意識調査を行っていますが、それによると、「幸せにとって大切なものは?」の問いに対する答えの1位は常に「お金!」で、80%を占めるそうです。

「お金」と「幸せ」——これを混同している人はたくさんいます。

「お金があれば幸せになれる」。こう思うことが、そもそも間違いのもとです。もしあなたが今、幸せでなく、将来もっとお金を手に入れて幸せになろうと考えているとしたら、残念ながらあなたの望みは叶《かな》うことはありません。

ではどうすればいいのか。そう、この順番を変えればいいのです。

「幸せなら、裕福になれるかもしれない」

自分の豊かさを測るのにぴったりのチベットの諺《ことわざ》があります。

「足りていると感じたら、その人は豊かである」

自分にとって、本当に大事なことだけに専念しましょう。多くの人が、今の人生とは別の生き方を望んで、そのために無駄な努力をしています。たとえそれが、人から見ればささやかなものであっても、今、自分が手にしているものを正しく評価して楽しむ——これが幸せの鍵《かぎ》です。

●執着を捨て、動じない気持ちを持つ

矛盾しているように思われるかもしれませんが、私たちの意見はこうです。

「お金というのは、執着を捨てて初めて手に入る」

とはいえ、お金に無関心になれと言っているのではありません。金なんかどうでもいいさ、という人は大勢います。

実は、これは執着の裏返しです。あえてこう言うことで、無意識のうちにお金に対してバリアを築いているのです。本当にこだわりのない人なら、こう思うはずです。

「私は一生懸命努力して、成功して裕福になりたい。でもそれがうまくいかなかったとしても、自分をダメ人間だとは思わない」

●あなたの心の中にある「思い込み」を見つける

さて次のステップです。お金についてのバリアはたくさんありますが、そのうち代表的なものをあげてみましょう。

1、親からの刷りこみ

次のような言葉を、親から刷りこまれて育つことは珍しくありません。

「金を手に入れる人は、友を失う」「正直な人間は、金持ちにはなれない」「富は、人間を幸福にしない」などなど。これはまた、恵まれない人にとっての慰めでもあります。

★アドバイス

「金持ちになる」とか「金がある」ではなく、「経済的に自立する」というように考えましょう。

2、もし、こうなったらという不安

「失業したらどうしよう」「商売が傾いたらどうしよう？」

たえずこのような不安を抱えていると、実際にそうなってしまうものです。

成功した実業家たちは、そのほとんどが何かを断念しリスクを冒しています。けれどもそのとき、その人たちは「失敗」ではなく、大きなビジョンを描いていました。

★アドバイス

自分がなりたいと思うイメージを思い描きましょう。成功する人とは、常に大きな夢を抱き続けた人です。

3、宝くじに当たる夢

これにはご注意。夢は夢でも、バリアになるものもあるのです。

「見いだされてスターになる」とか、「宝くじに当たる」とか、「大金持ちのおじさんが突然現れて遺産が入る」とか。同じ夢でも、これは自分では何もせず、受け身で待つだけのものだからです。

★アドバイス

宝くじの夢には期待せず、どうしたらその分を稼ぎ出せるか考えましょう。成功した人の多くは、サイド

ビジネスを持っていました――本を書く、セミナーを主催するなど。伝説も交ざっているかもしれないとはいえ、たしかなことは、「成功する人」は常に「行動する人」だということです。

4、言い訳

「……ならいいんだけれど、……だからできない」というような発言は、言い訳にすぎません。これは望みと同時に弁解を含んでいます。バリアはあなた自身です。

★アドバイス

「……できたらいいな。それには……してみよう」と考えましょう。

●「お金」とは、すなわち「現実」であることを自覚する

例えば、「あの人が〇〇するのは、カネのためだけだ」という言い方があります。これは100％否定的な意見です。このようなバリアは、お金に対する否定的な気持ちからきています。けれども、こんなことを言っていたら、お金を得ることも残すこともできません。なぜなら、お金とは、すなわち現実そのものだからです。多くの場合、「お金」は「現実」という言葉に置き換えることができます。

「すばらしいアイデアがあるんだけど、お金がなくて……」は、つまりそのアイデアを現実に生かせないという意味です。こう考えれば、さきほどの「カネのためだけに……」も、「あの人は、しっかり現実を見つめている」ということになりませんか。

シンプリファイのアイデア6

お金から自由になろう

「お金がたくさんあれば、お金に振り回されずにすむ」「ぜいたくな暮らしをすることが豊かさだ」。こんなふうに考える人もたくさんいます。

ですが、本当の豊かさというのは、周りの人に受け入れられ、評価されることにあります。ですからあなたの気持ちを、「物」ではなく、「人」に向けてください。

あなたの人生で最も大事なのは、お金で買えないものなのですから。

●物を持ちすぎると、お金の流れを止めてしまう

豊かな気持ちを味わおうとして、あなたがたくさん品物を買い、多額のお金を使ったとします。すると今度は、「失うこと」を恐れるようになります。まさにこの恐れが、もっと豊かになるチャンスを奪ってしまうのです。

物を買うために使ったお金は、新たなお金を生み出すことはありません。なぜなら、経済的な循環が断ち切られてしまうからです。ですから第1章で書いた「物」の処分は、あなたの経済状態を改善するためにも必要なのです。

●お金の意義、それはチャンスを生かせること

本当の豊かさに達するための次の一歩はこれです。「物は少なく。お金は多く」。これによってあなたは、現在ではなく、未来に投資するのです。株であろうと、不動産であろうと、自分の事業であろうと、運用されているお金は増えていきます。それだけではありません。１銭の利子も生まず、靴箱にしまってあるへそくりでさえ、チャンスを生かすきっかけになりうるのです。それに引き換え、物はすでに最終的な形をとったものであり、選択の自由がありません。

ただし、ある種の「消費」は大事です。これは、お金を「循環させるサイクル」だからです。

だれもがお金を貯め込んでいる社会は貧しくなります。

自営業の人たちは、そのプロセスを知っています。収入が減る→節約する→人とのつき合いが減る→それが取引先にも影響する――こうして悪循環が始まります。そういうときにこそ、人とのつき合いやＰＲに投資することが望ましいのです。

●お金の魔術

お金というのは、たんなる支払い手段ではありません。それは、たんに私たちの経済面に対するだけではない、神秘的な影響力を持っています。

何カ月も、あるいはそれどころか何年もの間、マイナスになっている口座は、当人が意識しているかどうかはともかく、ストレスの原因になります。

さて、それでは、口座にたっぷりお金があれば、私たちは幸せになれるのでしょうか?

経済コンサルタントのテークトマイヤーは、自分の顧客を分析して、驚くべき結果を導き出しました。彼によれば、ほとんどの場合、その反対だというのです。不幸せな人ほど、口座がマイナスにならないよう、たえず気をつけているそうです。無意識の不安や疑いが、こういう形で表れるといいます。つまり、口座にお金があるかどうかが、その人の潜在意識に影響を及ぼしているのです。

シンプリファイのアイデア7

借金から抜け出すために

人は、借金があると自信を失うものです。

借金をしている人は、それを恥じ、引け目を感じるものだからです。

けれども、借金「地獄」から抜け出すのは、あなたが思っているほど難しいことではありません。初めはとうてい無理だと思うかもしれませんが、道はあるのです。次に、そのためのヒントをいくつかあげておきましょう。

1、現実にしっかり目を向ける

借金のことを人に話してしまいましょう。

もちろん、だれ彼かまわず話せというのではありません。あなたが信頼する人に話すのです。そうすれば、それが特別なことでも、恥じることでもないことに気づくでしょう。

2、持っている以上のお金を使わない

これは、けっして難しいことではありません。

例えば、旅行の費用や家具をクレジットで決済するのはおすすめできません。それ自体はたいした金額ではなくても、借金が膨らむきっかけになりやすいからです。

旅行は、帰って時間がたてば忘れてしまうものですし、家具はいずれ古びます。もちろん、自分の事業に投資するとか、不動産を買うなどの場合は別です。

3、現金で支払うようにする

一般的に言って、カードを持つと、現金のときの倍も使ってしまうものです。財布（現金）を持っているときは、自分の経済状態を意識します。それに、けっしてマイナス（借金）になることはありません。

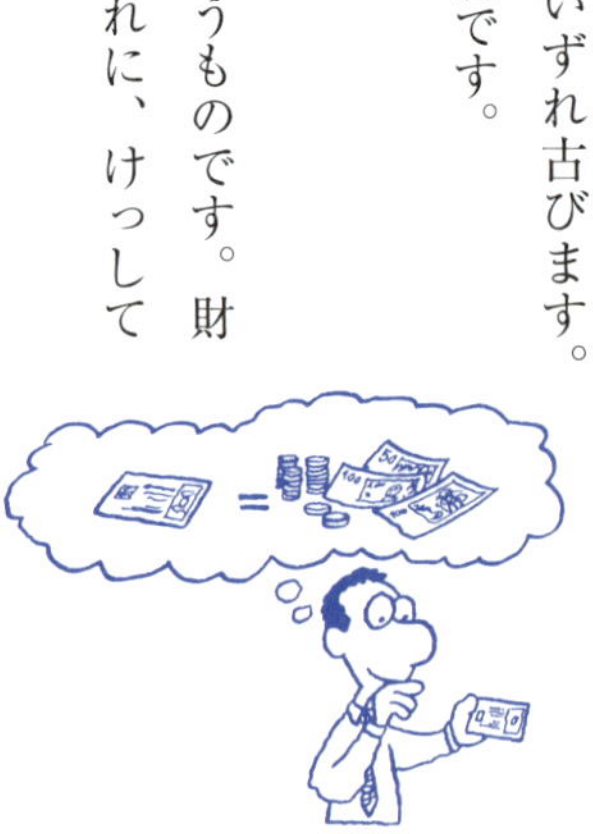

4、割の合わない預金は返済に

預金通帳を持っていますか？　外国の現金は？　その他、すぐに現金化できるものはありますか？　それならば、すぐに、それで払えるだけ払ってしまいましょう。それよりはるかに高い利子を払っているのですから。

5、口座から落ちている項目を見直す

信じられないと思う人もいるかもしれませんが、ドイツ・バイエルンの消費者相談所によれば、それぞれの顧客が「余分な経費」を口座から差し引かれているそうです（最高は、なんと年に８００ユーロ〈約10万円〉！）。

例えば、かけすぎの保険料、もう活動していないクラブの会費など。前の年の記録にしっかり目を通し、余分なものを削りましょう。

6、つつましい生活を楽しむ

借金があるうちは、できる限り節約しましょう。ただし、これを面白がってください。どこまでできるか、挑戦してみるのです。ずっとつましくしなければならないのではなく、借金を返すまで、と思えばやれるものです。借金を返し終わったときの、誇らしい気持ちを思い描いて乗り切りましょう。

7、銀行を敵と思わない

現実から目をそらして、請求書や引き落とし通知の封筒を開けずにいる——そんなことをしてもなんにもなりません。銀行の担当者に相談して、借金返済のための現実的なプランを立てましょう。銀行ほど、あなたの借金に関心を持っている相手はいないのですから。

8、わずかな金額をばかにしない

せっせと働いている人というのは、支出を減らすより、収入を増やすことのほうが大事だと考える傾向があります。けれども、お金とのつき合い方を心得ている人は、そのどちらも大事にしています。

物を買うときには、収入の少なかった頃を思い出してよく考え、吟味し、資産形成に心がけましょう。

9、二つの山の法則

たとえ借金があっても、いっぽうで節約して財産を増やさなければなりません。こんなふうに言うと、借

金のある人はばかにされているような気がするかもしれませんが、これは借金「地獄」から抜け出すための唯一の方法なのです。収入の半分で借金を少しずつ返し、残りの半分を少しずつ貯めます。ある日、その二つの山がほぼ同じになります。そうすれば、あなたは一挙に借金を返すことができるのです。

10、経験から学ぶ

借金をすべて返し終わっても、しばらくそのまま節約して暮らしてください。それまでの日々を、二度と繰り返さないための大事な修業時代と見なしましょう。

シンプリファイのアイデア8

安定を求める気持ちから抜け出そう

思慮なくお金を使ってしまう人たちがいるいっぽう、用心しすぎて、せっかくのチャンスに目をつぶっている人も少なくありません。出会うかどうかわからない、まだ見ぬ危険におびえ、現状にしがみついているのです。もちろん、無謀な態度はよくありませんが、思い切って一歩を踏み出すことも大切です。

●時々は、新しい仕事を探してみる

職場を変えなさいと言っているのではありません。ただ、定期的に、自分が置かれた現在の状況をチェックし、首を伸ばして垣根の外を眺めてみようというのです

一般的に、転職は新たな経験を積み、収入を増やすチャンスになります。辞めるつもりはなくても、転職の可能性を探っておくことは、あなたの自信にもつながります。また、あなたの会社が倒産したり、リストラにあったときにも、役に立ちます。

●友情からした奉仕に対しても、報酬をもらおう

報酬を要求せずに、価値あるアドバイスをしたり、片づけを手伝ったり、お年寄りの世話をしたりする人

が大勢います。友人なのだからそれが当たり前、お金なんかもらうものではない、と考えているからです。
けれども、いいですか、報酬を要求することによって、あなたは自分の行為の価値を低めるのではなく、高めることになるのです。

困っている人を助けたら、あなたとその人との関係は対等でなくなります。あなたが強者で、相手が弱者となるからです。けれども、それにふさわしい報酬を受け取ったら、この不均衡を和らげることができます。これはお互いにとっていいことなのです。

●もっと多くを要求しよう

これは、契約社員やアルバイトで働いている人に当てはまります。もう何年も、それどころか、場合によっては何十年も決まった額のままという人もいることでしょう。

もしあなたが、何年も同じ相手から注文を受け続けているとしたら、あなたの仕事には合格点が与えられているということです。ですから、堂々と要求してかまわないのです。もちろん、サラリーマンでもこれは同じことです。自分の働きで、会社に利益を与えていることを証明できるなら、あなたにはその成功にあずかる権利があるのですから。

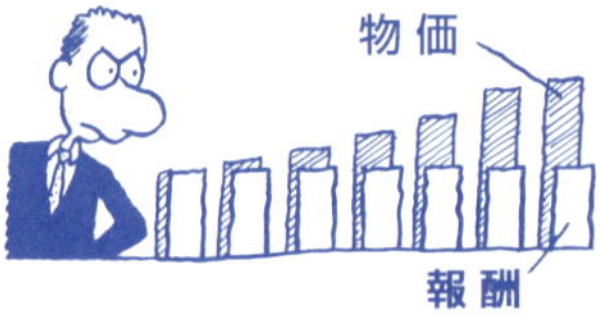

●キャリアのためにすべきこと、してはいけないこと

仕事で成功する第一歩、それは、あなたが成功したいと心から望むことです。

「仕事での成功、出世」――これには、お金に対するときと似たバリアが築かれています。
「出世するのはおべっか使い」「人を踏みつけにしなければ上にはいけない」「責任が重くなると、もっと働かなくてはいけない」「昇進すると、それまでの同僚から避けられたり嫌がらせをされたりする」「偉くなると失墜する危険も大きい」……。

これらは、大いなる偏見と中途半端な真実の寄せ集めです。たしかにここには、ほんのわずかな真実が含まれていると言えなくもありません。でも、その大部分は偏見にすぎません。

こういう偏見に「サヨナラ」しましょう。そして、その代わりに次のような新たな言葉を刻み込んでください。

「昇進すれば収入も多くなる」「決定権も得られる」「尊敬され、よりよい扱いを受けられる」「仕事が多彩になり、面白くなる」。それだけではありません。もっと面白い仕事への転職も容易になります。

そうは言っても、成功するためには、それにふさわしい態度というものがあります。成功するための、いくつかのヒントをあげておきましょう。

1、同僚が先に昇進したら

それまで対等だった同僚が、自分より先に昇進するのは嫌なものです。けれども、そのときにあなたの取る態度が、その後を決定します。

・成功しない人……むくれる。「9時5時人間」に徹する。同僚の仕事を妨害する。

このようなあなたを見た上司は、自分の決定は正しかったと思うに違いありません。

・**成功する人**……なぜ同僚が選ばれたのか、その理由を分析する。

今後自分は、どのようにしたらその同僚のようになれるのか、上司に率直に尋ねましょう。

2、上司が絶えず残業を要求したら

タイムレコーダー通りに働くだけでは、決して昇進できないことは、もちろんご存じでしょう。でも、だからといって、毎日11時間も働くことが果たして必要でしょうか?

・**成功しない人**……対立しないですむよう、適当な口実を考え出し、なんとかして逃げようとする。同僚をそそのかして反抗させる。

・**成功する人**……時と場合によっては引き受ける。

上司を大事な取引先だと考えてみましょう。いざとなれば仕事に打ち込む人間だということをわかってもらえたと思ったら、もう少しゆとりのあるときに有給休暇などを願い出ます。

一方で、仕事に熱心に取り組むことを示し、もう一方で、自分の利益もきちんと要求するあなたを見て、上司は、もっと重要なポストを任せられる人間だと思うでしょう。

3、予算が削られたら

原則を言えば、企業が負債を抱えるよりは、予算を削られるほうが良いのです。

でも、もしそれがあなたのプロジェクトだったら、あなたはそれを、自分への警告だと考えるかもしれませんね。

・成功しない人……直接の上司を飛び越してさらに上へ訴え、なんとか予算をもらおうとする。あるいは、反抗してあまり働かなくなる。愚痴《ぐち》る。

・成功する人……代替案を見つけ出す。

例えば、出張費が削られることになったなら、インターネットや手紙ですませられるものを探し、できるだけ多くそれに切り替えます。スポンサーや新しい取引先など、新しいお金の出所を開拓するのもいいでしょう。出張を短くすることを、あなたの腕の見せ所だと思ってはいかがですか?

とはいえ、それにも限界があることをはっきりさせることは大事です。何もかも会社の言うなりにならないように。ひょっとすると、上司は、どこまであなたが乗り切れるか、テストしただけかもしれません。

４、会議など、みんなのいる前で上司があなたをこきおろしたら

これは実につらいものです。「宮仕えにはつきものだ」では、大した慰めにはなりません。

・成功しない人……みんなの前で言い返す。あるいは、会議が終わるまで膨《ふく》れっ面《つら》をする。後で相手かまわず訴えてまわる。

・成功する人……あなた自身と、あなたの提案やアイデアとを分けて考える。

あなたの提案を非難したからといって、それによって、上司があなたという人そのものを否定したことにはなりません。もしあなたが、そのやり方を個人的な侮辱だと感じたなら、それを上司に伝えましょう……ただし二人だけのときに。

「私は、決定に文句を言うつもりはありません。けれども、もうすこし客観的な表現をされたなら、私のほうも、もっときちんと対応できたでしょう」というように。

出版社ベルテルスマンの元社長ヴェスマンは、常にこう言っていました。

「もし私が、部下のだれかを傷つけるようなことがあったら、ぜひ知らせてほしい」

しかしながら、それでもやはり、今後は気をつけるようにしましょう。あなたの提案の仕方に問題がないか、注意してください。上司を非難しているととられる危険はありませんか？

5、昇給願いが却下されたとき

・**成功しない人**……会社の備品や文房具を失敬したり、私用電話をかけまくる。退社時間になるやならずに姿をくらます。

ご注意！　これは極めて危険です。やりすぎると、解雇されかねません。

・**成功する人**……できるだけ冷静に、その理由を上司に尋ねる。あなたが役に立てるかもしれないビジネス、あるいは省力化についての案を出す。

まず、上司の立場に理解を示し、それから問題の解決策を提示します。ここで忘れてならないのは、1度の業績で昇給を望むのは無理だということです。報償金は期待できるかもしれません。でも、昇給というのは、あなたが会社の発展に将来も貢献できる場合にのみ可能なのです。これから先の見通しが大事なのであり、過ぎたことに対して報いてもらおうと期待しないことです。

6、新しい上司が来たら

新しい上司があなたを敵と見なし、あなたは、まもなく古い家具のように追い払われるのではないかと心配しているとします。

・成功しない人……憂鬱《ゆううつ》になり、それまでの職務で得た知識を抱え込み、協力を拒む。

・成功する人……新しい上司が今までとは違うタイプだとわかったら、自分を積極的に売り込む。

自分の仕事について説明し、新しい上司のこれからの計画に興味を示しましょう。こうして、自分はなくてはならない存在だということを、感じよくアピールするのです。

とはいえ、新しい上司が、一緒に連れてきた気心の知れた部下と、あなたを入れ替えようとしていることに気がついたら、素早く行動を起こし、社内、あるいは社外に新しいポストを探すほうがいいでしょう。今の部署で仕事をしている間に見つけるよう、おすすめします。

●独立するための確実な道

もっと自由で、もっと幸せな人生を考えたとき、「人に使われないこと」を思い浮かべる人は少なくないでしょう。ただの夢で終わる人が多いのは、自力で立つ自信がないからです。けれどもこれは、一般に思われているほど難しいことではありません。

たとえさしあたってその気がなくても、考えてみるのは無駄ではありません。経済界のトレンドは間違いなく「プロフィットセンター」（社内ベンチャー）システムに向かっています。そして、時代の先端を行く会社はとっくに、社員のことを、社内に籍を置く経営者であり、共同経営者と見なすようになっています。

1、助走する

今の仕事の他にもう一つ、仕事になりうるものを手に入れましょう。

あなたは何をしているときが一番楽しいですか？　胸が高鳴るのはどんな仕事ですか？　その際、まず最初に収入が多いからとか、楽だからとか考えるようではだめです。さもないとあなたは、またもや単調で退屈な仕事をするはめになり、お金のためだけに働くことになってしまうでしょう。

2、アドバイザーを探す

なにも、高額の謝礼が必要な経営コンサルタントに頼めというのではありません。税理士でいいのです。彼は、所得税や消費税などについて詳しく教えてくれるでしょう。これは、独立するうえでとても大切なことです。そのうち、思っていたほど難しいことではないことがわかるに違いありません。さらに、すでに独立して仕事をしている人で、目標となるような人を見つけて、いろいろ教わりましょう。

3、目標は高く

コンサルタントは、次のように強調します。

「目標が高すぎることなどない。ただ、それにかける時間が短すぎるだけだ」

例えば2カ月で何ができるか。それについて私たちは、過大評価するきらいがあります。ところが2年間となると、今度は過小評価してしまいます。常に

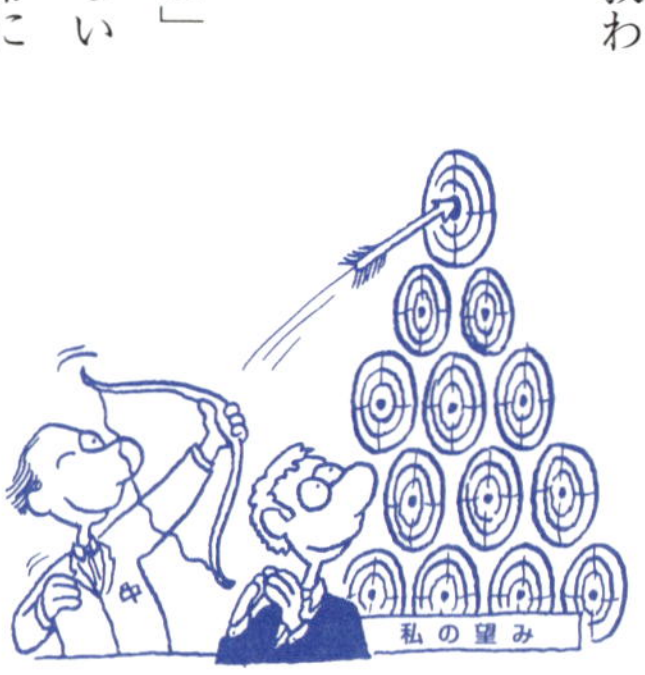

的確な判断をし、目標を中位に定めたりせず、その分野でのトップを目指しましょう。

4、売るのは「製品」ではない

品物を売るのではなく、相手の要望に対する「答え」を売りましょう。

優れた車のセールスマンは、車ではなく暮らしのあり方そのものを、パソコン店は、パソコンではなく仕事の能率を売るのです。

儲《もう》けを増やすことではなく、顧客の要求を満たすことを目指します。そうすることによって初めて、利益も生まれるのです。

5、けっしてライバルの悪口を言わない

一にも二にも、業績で勝負です。ライバルの悪口を言うより、よく観察して、相手の優れた点を学びましょう。

6、適正な価格をつける

けっして安売りしないように。その市場における上層部を目指しましょう。そこでは品質だけが勝負です。内容がすばらしければ値段は問題でなくなります。

7、自分を信じる

自分で自分を信じなくて、だれが信じてくれるのでしょうか。大げさに自慢するのはもちろんいいことではありませんが、堂々と自己PRをしましょう。

8、耐える

失敗したからといって、めげてはいけません。成功した人間はみな、失敗を経験しています。失敗を通して自分の長所を発見し、成長したのですから。

9、節約する

上手に投資し、無駄を省いて資産を増やしましょう。例えば、オフィスを必要以上に立派にするのは無駄な出費です。

10、愛と情熱

したくない仕事を、お金のためだけにすることのないように。仕事に対する情熱が失われたら引き時です。また、新しい仕事のために、あなたのパートナーの愛情が薄れてきたら、やはりやめるときです。

シンプリファイのアイデア9

「豊かさ」に対する考えを改めよう

借金を返済し、お金のことばかり考えなくてもすむ暮らしになったら、その状態を保つようにします。豊かさとお金を結びつける考えから決別しましょう。貧乏な人が、必ず自分よりも貧乏な人を知っているように、金持ちも自分よりもっとお金のある人を知っています。つまり、豊かさも貧しさも、しょせん意識の問題なのです。

次にあげるヒントを参考に、あなたの持ち物を管理し、豊かさに対する新しい感覚を身につけてください。

1、支出を書き留める

これは、家計簿をきちんとつける勧めではありません。最終的に、きちんとしたリストになるかどうか、そんなことはどうでもいいのです。大事なのは書くことで、自分がどんなふうにお金を使っているかをはっきりと認識することです。こうすれば、衝動買いを防ぐことができます。

2、誘惑に負けない

できる限り現金で支払いましょう。「カードで」の誘惑は大きいものですが、そうするとお金を使っている感覚が失われてしまいます。

3、決まった額を寄付する

困っている人にお金を差し出すと、豊かな気持ちになります。

寄付などせずに、すべてを自分のために、ぜいたくに使ったほうが豊かな気分になれると思う人もいるかもしれません。けれども多くの場合、そういうエゴイズムに対して、私たちは無意識のうちに気がとがめているものなのです。

また、寄付をした後は、お金を使うのを控える気持ちが無意識に働き、実際に支出が減ります。

4、世界を豊かだと考える

自然の原則は、あり余る豊かさです。みんなに行き渡るだけのものがあるのです。世界を、このような目で見てください。裕福な人を、自分の分け前を奪った人としてではなく、自分に対する潜在的な顧客、あるいは寄付をしてくれる相手と考えてみましょう。それだけではありません。自分のことも、世界の豊かな恵みのおすそ分けをもらえる存在だと見なしましょう。

団体だけでなく、ある特定の人に寄付をするのもいいでしょう。

また、他人の成功に力を貸しましょう。あなた自身を成功に導くうえで、これくらい効果のあるものはありません。諺《ことわざ》にもあるではないですか。「他人に教えることが学ぶための近道」。

5、遺産を贈り物と見なそう

家族の争いの中で、遺産相続くらいよくあるものはないでしょう。

遺産を残すはずの人がまだ生きているときから、争いが始まることもあります。「ペートラがおじさんの面倒を見たのは、遺言を自分に有利にするために決まってるよ」などのように。

ミュンヘンのセラピスト、ヤコブ・シュナイダーは、遺産を「贈り物」だと考えるよう勧めています。そもそもそれは、自分の力で稼ぎ出したものではない、という意識があれば、来るべき争いを避けることができるからです。

なお、遺産の分配でもめたときには、一部を辞退するほうがいいでしょう。全面的に辞退すると、他の人たちの目にはあなた一人が人格者ぶっているように映り、その人たちとの関係が難しくなったり、しこりを残してしまう場合があるからです。

6、他人が豊かになるのを願おう

他人がもっと豊かになるよう願いましょう。

特に、あなたよりも恵まれている人の幸せと健康を。ホームレスの人に対してならともかく、自分の上司や、恵まれた人がもっと豊かになるのを望むのは、なかなか難しいことです。でも、だからこそ意味があるのです。

たとえ今、あなたに借金があるとか、さしあたってどうやって生活費をひねり出そうかと思いあぐねているとしても、豊かさやお金について否定的な考えを抱いてはいけません。充分に持っている人々を憎んだり、妬《ねた》んだりしてはいけないのです。

なぜなら、あなたが考えていることが、とりもなおさずあなたにとって現実となるからです。

つまり、裕福であることや、お金がたくさんあることを憎んだとしたら、それらはあなたのところにやってはきません。お金を憎む人は、結局のところ、それを通して、自分自身とその力を否定しているのです。そうなれば当然、それ以上努力をしようとはしなくなり、稼ぐこともできません。こうして悪循環に陥ります。あなたの仕事は、すなわちあなたの仕事に対する考えの表れです。同じように、あなたの経済状態は、あなたのお金に対する意識の表れなのです。

私たちがひたすら心を注いだものは増えていきます。出費を抑えることばかりに専念している会社を、魅力的で将来性のある企業だと思う取引先は少ないでしょう。

●豊かに節約を

毎月、給料日などに決まった額を貯金します。

こうすれば「つい使いすぎちゃって……」が防げます。月末に、もし余ったら貯金しようと思っている人は、いつまでたっても貯まりません。

金銭に関するあなたの人生のピラミッドをすっきりさせると、ちょっとした奇跡が起きるかもしれません。何回もお話ししたように、お金とは、単なる支払い手段ではありません。お金とあなたの関係は、あなたという人の重要な局面であり、同時にシンプルで幸せな人生への重要な一歩なのです。

さて、これで私たちは、最も身近なテーマへと近づいてきました。

つまり、時間をどう使うかということです。

第３章

時　間

（アイデア10～14）

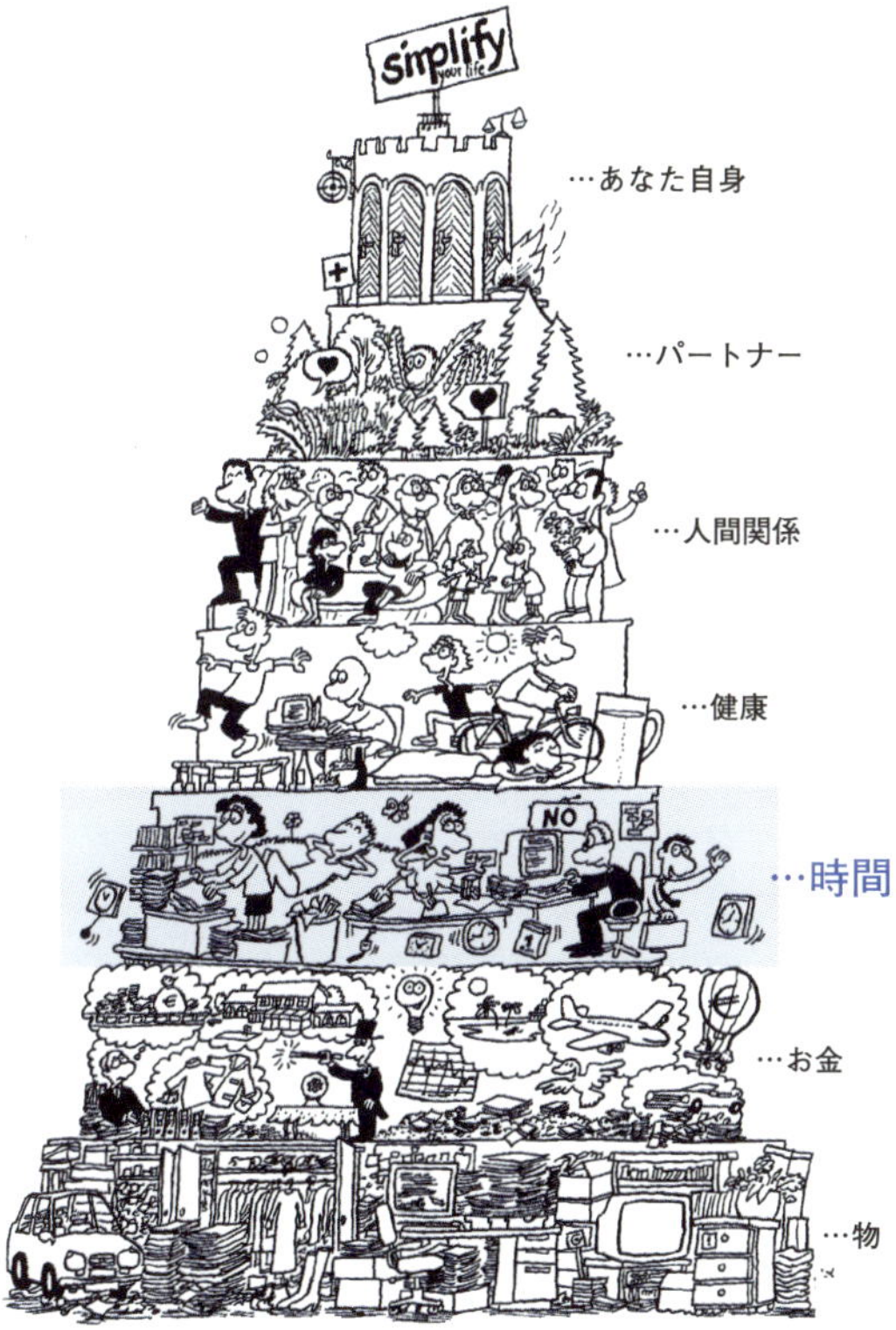

自分の時間は、自分自身で管理しよう

「時間を節約する」のではなく、「何に時間を使うべきか」と考えるようにしましょう。言い換えれば、「時間」ではなく、「あなた自身」を管理することが大切なのです。

シンプリファイのアイデア10

自分の行動をシンプルにしよう

成功し、幸せな人の秘密は、多くの場合、全身全霊で、ある一つのことに集中できるということにあります。

たとえその人たちが、さまざまな仕事を抱えていたとしても、彼らはそれを混乱させることなく、秩序だてるテクニックを身につけているのです。

この秩序とは、ごく簡単なことです。すなわち、「一番大事なことを一番最初に！」。

仕事でも私生活でも、しっかりと優先順位をつけましょう。

急ぎかどうかでそれが決まることもあります。ですが、ここでよく考えてください。なぜなら、急ぐものが必ずしも重要なものとは限らないからです。

トップにくるのは、あくまでも、あなたに特別大きなプラスをもたらすもの、今後非常に発展する可能性があるもの、あるいは多くの人々から注目されそうなものなどです。

大事なことは、トップに置くものは一日一つにすることです。二つ以上だと、頭の中でそのことを思い描いただけで、あなたのエネルギーや集中力は弱まってしまいます。

このとき、2番目以下の仕事の相手先とは、期日についてきちんと話し合いましょう。すべては優先順位1位の用件のために残しておき、決して非現実的な締め切りを口にしてはいけません。さもないと、これまでの悪循環にふたたび陥ってしまいます。

あなたは、このような文句を言われるかもしれません。

「なんですって、4週間後？　何が何でも4日後にはいただかないと……」

しつこく言われても、落ち着いていることです。そして正直に言いましょう。

「それ以上は、どうにもなりません」

顧客を失うとか、社内でのポストが脅かされるなどといったリスクは、たいていの場合、単なる思いすごしです。

あなたが、自分で決めた期日を守れないことのほうが、それよりずっと始末が悪いのです。大事なのは、優先順位1位の用件に対して、時間とエネルギーをとっておくことです。

また、大事な仕事に落ち着いてかかれるようにと、私たちは、決まりきった単純作業を先にすませておく傾向があります。けれども、あくまでも優先順位1位のものから始めてください。それが片づいてから、いつもの作業をするようにしましょう。

●うまくいったら祝おう

それがうまくいったら、心おきなく祝ってください！　ビールを1杯やるのもいいし、パートナーとお祝いの食卓を囲むのもいいでしょう。やり遂げた気持ちを充分に味わってください。

こうして息抜きをしないと、仕事が単調な繰り返しに思えてしまいますよ。

●今すぐの原則

これは、日々の暮らしで非常によく起ることです。例えば部屋の隅に埃《ほこり》を見つけたとします。

①のケース……あなたはため息をつきます。「ああ……。大掃除をしなくちゃ」。けれど埃はそのまま。これだけを捨てても、「焼け石に水」だからです。

②のケース……あなたはその場で、すぐに埃を捨てます。

①は、完璧《かんぺき》主義。たしかにこれは理屈には合っています。だって、今ここで埃を捨てたところで、どうせ他にもあるのですから。ところが、たいていは、そんなすぐには大掃除などできません。結局、何も解決されずに終わってしまいます。

②は、実利的な解決。とにかくこれで目の前の問題は片づいたわけですし、かといって、きちんと掃除することがこれで妨げられるわけではないのですから。

スイスの経営コンサルタント、サムエル・ブルナーは、「トータルな質」に重点を置いて時間を管理するように勧めています。つまり、常に必要な分だけ。それで充分なのです。

シンプリファイのアイデア11

人生に完璧を望まない

「完璧にやらなければ」。そう思うのが不幸の始まりです。
人生に完全を望むのは誤りです。欠点があり、失敗があり、凹凸がある、それが人生なのですから。
それらを受け入れ、自分の人生に組み入れることができる人だけが、豊かで充実した人生を送ることができるのです。

●失敗は成功のもと

完璧主義者の行き着く先は、こうなります。

「私は、すべてをきちんとこなすことのできないダメな人間だ」

けれども、人類の偉大な発明は、数多くの失敗を経験した結果です。そこには、どんなことがあってもやり遂げようという、発明家の不屈の意志があります。

失敗とはつまり、次の機会に、もっとよくできるための機会を与えてくれるものなのです。人は失敗から学ぶのです。

★アドバイス
自分の欠点に親しみを持ちましょう。

人を観察してみれば、欠点が、その人を個性的にしている場合が多々あることに気づくはずです。自分に言い聞かせてください。

「私の欠点や失敗は、私を私らしくしてくれている」

鏡の前に立って、にっこりして言ってみましょう。

「私は、自分の欠点から目を背けない」

次のヒントは、完璧主義に別れを告げるために役に立ちます。

1、14のリストを作る

何をやってもだめだ……そんな気分になったら、14のリストを作ってみましょう。

ここに、あなたがその日にうまくできたことを書いてみるのです。すごくおいしい紅茶を淹《い》れることができた、つまずかずに階段を降りることができた、安全に車を運転できた、パソコンの設定がうまくいった……。どんな小さなことでもいいのです。

2、嬉《うれ》しいことを思い浮かべる

仕事がうまくいったとか、人に褒められたなどの嬉しいことがあったら、夜、そのときの情景を思い返してみましょう。お風呂に入っているときでもいいし、寝る前、ベッドに入ってからでも……。

3、自分の失敗を面白がる

自分の失敗を面白がりましょう。そして人に話してみるのです。他人の失敗談には、だれでも喜んで耳を傾けるものです。「今日の失敗は、明日になればエピソード」。気にすることはありません！　試してみてください。失敗談は、あなたにダメ印を押すのではなく、親しみやすさを与えてくれます。

4、中途半端でかまわない

「きちんと仕上げない」「中途半端にやっつける」、そんな日をわざと作ってみてはどうでしょう。そうすると、日々前進しなければ、という無意識のプレッシャーから逃れられます。

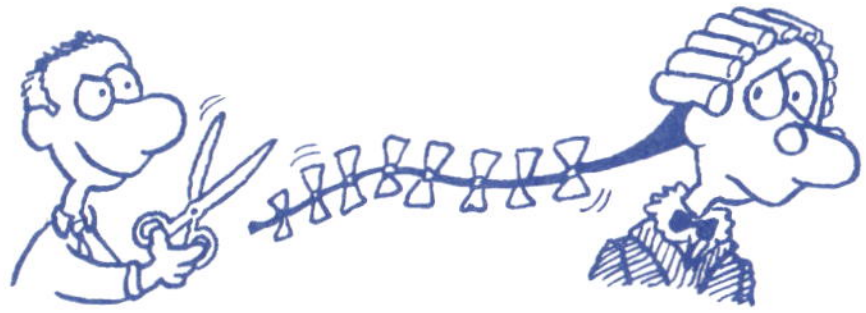

●議事録はいらない

会議の後、きちんと議事録を起こして出席者に配るのは手間も時間もかかります。会議中に要点だけをおおざっぱに手書きで記し、それをすぐにコピーします。そうすれば、会議の終わりにはみんなに配ることができます。完璧でなくてもだいじょうぶだということに、あなたはすぐに気づくはずです。

●昔から定着している手順をシンプルに

どの企業でも団体でも、昔からの習わしになっていて、なぜそれが必要なのか、もうだれも尋ねない、そんな仕事の手順があるものです。

「ずっと前から、みんなこうしてきたから」というわけです。どうしたらこれをもっとシンプルにできるか、ここにいくつかヒントを紹介します。

1、顧問会や審議会はいらない

企業というものは、名のある人々を顧問に迎えていることで箔《はく》がつきます。彼らは定期的に呼び集められますが、それには経費も時間もかかります。しかも、有益な助言をするのはそのうちの数人で、他の人たちは、ただ黙ってコーヒーをすすっているのが実態です。

★アドバイス

これらの専門家たちに、一度長い時間をとってもらって本格的なミーティングをします。そのときに、会社とスタッフをよく知ってもらいましょう。その後はもう定期的な委員会ではなく、担当者と専門家がじかにやればいいのです。それは電話でもファクスでも、あるいは個人的に会うのもいいでしょう。そうすれば、本当に助言を与えることのできる人だけが関与することになり、これは双方にとってプラスです。

しかも顧問に名を連ねている識者、有力者の名前をもっと堂々と書類やパンフレットに載せることができます。なぜなら、彼らは本当に顧問として役に立ってくれているのですから。

2、回覧板の代わりに、インフォメーションボードを

全員にかかわりのあるお知らせ（「工事のため、明日は駐車場は使えません」など）は、回覧やメールで知らせることが多いでしょう。けれども、回覧はどこかでストップする危険があり、メールは見逃されるかもしれません。

★アドバイス

その企業が先端的かどうかは、インフォメーションボードでわかります。必ず従業員の目に留まる場所に置き、はっきりしたマークや色で新しい知らせだということがすぐにわかるようにしましょう。「そんなもの、だれも見ないよ」などと言う人がいても無視しましょう。しばらくすれば、だれもが自然に毎日見るようになります。古くなったものは、すぐに外さなければならないのは言うまでもありません。

●あなたの時間の範囲を広げよう

あなたは、手帳などの予定表を持っているでしょう。電子手帳を持っている人もいるかもしれません。そこにはあなたが、その日にしなければならないことがリストアップされています。けれども、必ずいくつか残ってしまうものです。いつも何か予期しないことが割り込むからです。

その日の終わりには、しようと思ってできなかったことが山積みになります。時間の管理は、本来は、のんびり楽しい暮らしをするための手段だったのに、こうしてしばしば憂鬱《ゆううつ》の種になってしまうのです。

考え方を変えましょう。「今日は、これこれを片づけなければ」ではなく、「それらをいつ片づけるか、まず適当な日を決めよう」というように。こうするだけで、あなたの気持ちは大きく変わってきます。

どこが違うのか、ですか？　予定表に反応（リアクション）するのではなく、あなたが主体的に行動（アクション）できるようになるのです。

●1週間単位で計画する

処理する要件を1週間単位で計画し、そのうちのどれを今日やるか、自分で決め、優先順位をつけます。主人はあなたであって、予定表ではないのですから。

仕事をするうえで、これはほんのわずかな違いにすぎません、けれども時間の管理に関して、革命的な効果があります。

最初に1週間でできそうな用件をまとめておきます。けれども、それがたとえ翌週にずれ込んでも気にすることはありません。それよりも、その週に自分がやり遂げた用件に線を引いて消し、とにかくこれだけはすんだ、と喜んでください。

シンプリファイのアイデア12
きっぱりと「ノー」を言おう

もしあなたが、1日24時間では足りないというのなら、それは時間が少なすぎるせいではなく、あなたが仕事を抱え込みすぎているということになります。その結果、にっちもさっちもいかなくなったら、どうすればいいでしょう?

答えは簡単です。要するに仕事を減らせばいいのです(私生活でも職場でも)。職場に限らず、現代では、あらゆる分野でストレスは溜《た》まる一方です。

核家族化が進んだ現代では、かつて親族全体で協力していたさまざまな役割を、それぞれの家族だけで受け持たなければなりません。そういう状態にあって、道はただ一つ。きっぱり「ノー」を言うことです。

●自信があれば「ノー」と言える

本当は「ノー」と言いたいのに「イエス」と言ってしまった経験はありませんか。心理学者のマヌエル・スミスによれば、そのようなときは、だれか他の人間に操られている場合が多いのです。

スミスは言っています。「それを防ぐにはまず自信をつけることだ」と。もしあなたがこういう状況に陥ったら、私にはきっぱりと断る権利があるのだと自分に言

い聞かせ、心の中で次のように繰り返しましょう。「私は他人の言いなりにはならない」。

●上手に「ノー」を言う七つの方法

「ノー」を言うためには、あくまでも自信を持って決断することが前提ですが、相手に受け入れてもらいやすい方法を七つあげておきましょう。

1、「しばらく考えさせてください」、あるいはもっと具体的に「考えさせてください。1時間たったら電話します」

こう言ったら、1時間後にはきちんと電話をし、丁寧に、けれどもきっぱり「ノー」を言いましょう。理由はいりません。考えたということ、約束通り電話をしてきたということで、間違いなく印象がよくなります。

2、「それは、とてもいい話ですね!」

まずこう言って、相手の申し出を評価します。それから、ちょうど今、他の件で手いっぱいで、せっかくだが受けられないと言いましょう。そのとき、「他の件」が何かとか、なぜそれを優先するかなどの理由を言わないこと。反論や、場合によっては口論を引き起こすことになるかもしれません。

３、「私は、あなたを優秀な方だと思っています！」
ものを頼まれたら、相手をまず褒めて絆《きずな》を強めておきます。それから次のように断ります。

「そういうことなら、あなたとご一緒が一番でしょうね。けれども、今回はどうしてもお断りせざるを得ません」

４、「そういうお話は、受けないことにしています」
だれに頼まれたかということには関係なく、もともと受けない仕事なのだとわかれば、先方もあまり傷つきません。

５、「それは本当にお困りですよね」
これは遠回しの依頼があったときに特に役に立ちます。例えば、「あなたの住んでいる町に行きたいのだが宿がとれなくて……」などと相手が言ってきても、立ち入らず、気づかぬふりをしましょう。

６、「今、ちょうど手がふさがっています」
ただ先延ばしするだけのこんな決まり文句でも、満足する相手は大勢います。とはいうものの、非常に親しい間柄で使うときには注意しましょう。それ以上踏み込んでこられる恐れがあるからです。

７、「はあ、そうですか……でも、無理です」
なんといってもこれが一番です。断るつもりなら、はっきり「ノー」を言いましょう。ただし、しばらく間を置くことです。これは第一に、一応考えたということ、第二に、相手に対する思いやりを示します。それからはっきり「ノー」を言って、相手をしっかり見つめます。きちんと拒絶することで、後で起こるかもしれないトラブルを避けることができるのです。

シンプリファイのアイデア13
人生をのんびり過ごそう

時間は、だれにとっても1日24時間あります。

けれども、私たちの個人的な時間のスピードは、人それぞれ違っています。あなたの体内時計のリズムを、専門家は「自分の時間」と呼んでいます。あなたの上司や顧客、家族の時間は、それぞれ「他人の時間」となります。

時間の流れをスムーズにするためには、基本的に、この二つのリズムを一致させる必要があります。それにはまず、「自分の時間」を見つけることが大切です。

●「自分の時間」を見つける

まずリストを二つ作ります。

一つ目のリストには、どの仕事をどの時間帯にすると一番やりやすく、うまくできるかを記してください。また、それはどういう状態のときですか？　それから、寝たり起きたりするのに理想的な時間帯は？

二つ目のリストには、少なくとも1週間、いつ、どんな仕事をしたかを書き込み、その出来を判断します。

この二つをもとにすれば、自分にとって理想的な時間帯が見つかることでしょう。そのうえで、上司や同

僚、家族に話して、どうやったら、一番よく仕事の時間を組めるかを話し合うとよいでしょう。

●あなたの心の中にいる「時間泥棒」を見つける

あなたの時間を奪っているのは、周りの人たちだけではありません。それよりずっと多くの要素が、実はあなたの中にあります。

あなたは、常に自分に無理な要求を課しているのです。限られた時間内でそんなにいくつものことができるはずはありません。

・時間泥棒1　無数の「ちょっとした用事」

あなたはいつも、ちょっとした用事を先に片づけようとします。

「これをする前に、ちょっと郵便物に目を通そう。それから、ちょっと病院の予約をしてしまおう。そうそう、今度行くコンサートの約束も……」

気がつくとすでに半日が過ぎています。

★アドバイス

まず1時間、しなければならないことをしてから、他のことに頭をまわしましょう。

・時間泥棒2　高すぎる目標

現実性の乏しい、高すぎる目標を抱くと、自分に負担を強いることになります。

★アドバイス

このような場合、それを防いでくれるのは、あなたのパートナーです。率直に話し合ってください。ひょっとすると相手は、輝ける未来より、今、この時を大事にしたいと思っているかもしれませんよ。

・時間泥棒３　無意識の不満や疑念

約束や仕事で一日をびっしり埋めずにいられない人には、自分でも気づかない不満や疑念が潜んでいる可能性があります。

★アドバイス

不満や疑念がないか、心の中を見つめ、その原因を分析しましょう。

・時間泥棒４　ふさわしくない働き方

一匹狼タイプの人がチームで働かなければならなくなると、ミーティングや他のメンバーに対する責任を時間の無駄だと感じてしまうものです。

逆に、チームで働くことが得意な人が、家で一人きりで仕事をしなければならなくなると、いいアイデアがひらめくまでむなしく過ぎてしまい、時間を無駄に費やしてしまいがちです。

★アドバイス

これまでの仕事を、違った条件の下でやったらどうなるか確かめてみましょう。

・**時間泥棒5　適していない職業**

もしあなたが、失業するのではないかという不安のためだけに、ある仕事にしがみついているとしたら、いつか精神的、あるいは肉体的な不調をきたします。

★**アドバイス**

どちらの危険がより大きいか、じっくり考えてみましょう。人生を変える勇気を持つことが大切です。

●「せき立てられ病」を克服しよう

現代では、ほとんどの人が時間にせき立てられています。私たちは、ますます短時間に多くのことを片づけなければならなくなりました。もっと人間らしく、もっとゆっくりと暮らしたい、だれもがこう望んでいます。

さらに健康的な生活を送るための、時間との上手なつき合い方をお教えしましょう。

1、時計を見ない

腕時計を外してみましょう。そして、ときどき子どものようにしてみてください。つまり他の人に、「ほら、何々をする時間だよ」と教えてもらうのです。その間、あなたは時間から解き放たれて生きることになります。

2、時間を庭と見なす

時間に対するイメージを変えましょう。一日のうちで、あなたが使える時間を庭だと思ってください。あなたは自分の裁量で、この庭をぶらぶら歩いたり走ったり、ぐるぐる回ったり、新しい道を試したりできるのです。

この新しいイメージによって、時間に対するあなたの潜在意識が変わります。もう時間があなたを支配しているのではありません。あなたが時間を支配しているのです。

3、自分のリズムを見つける

ちょっとしたテストをしてみてください。くつろいでイスに座って時計を見ます。それから目をつぶって5分間何もしないでいます。5分たったと思ったら、目を開けて時計を見ましょう。これで自分のリズムがわかります。

・**目を開けたときが4分半より早かった人**……あなたの体内時計は早すぎます。多くのことを計画しすぎ、それができると思い込み、予定を詰め込みすぎています。もっと計画にゆとりを持たせましょう。

・**5分半以上たっていた人**……あなたのリズムは、時計よりゆっくりしています。あなたは余裕を持って生活しています。ただし、ともすると自分を過小評価する傾向があります。もっと自信を持ちましょう。そうすれば、自分の中に、いかに多くのエネルギーが眠って

いるかに気づいて驚くことでしょう。

・**ほぼ5分だった人……**時間と上手につき合っています。今のままで心配いりません。

●「今」を生きることに気持ちを注ぐ

日々のちょっとした行動が、あなたの「今」に対する感覚を養い、豊かにしてくれます。歩いていようと車を走らせていようと、私たちは普通、ほんの数秒しか物を見ていません。こうして、物をきちんと見ることなしに一日が過ぎてしまいます。

研究者が調べたところによると、この50年間で、私たちが物を見つめる時間は、どんどん短くなっているそうです。世の中の動きは速くなるいっぽうですが、もしかするとそれは、私たちが物を見つめる時間がどんどん短くなっているからかもしれません。

1、長く見つめる

物を見るときには、最低5秒間は見続けてください。「5秒間」が思いのほか長いことに気づくでしょう。これは、研究者たちも認めていることですが、見つめる時間をほんの少し長くすることで、人生の喜びや質が、目に見えて高まります。

2、口に出して言ってみる

一人で散歩に行き、目に入ったものの名前を声に出して言ってみましょう。騙《だま》されたと思ってやってみてください。こうすることで左右の二つの脳が活性化され、あなたの記憶にしっかりと根を下ろします。その結果、今を強く意識することができ、せき立てられていた気持ちが、目に見えて収まってきます。

3、ルーチンワークを丁寧に

たいていの人は、時間を節約しようとするために、ルーチンワーク（決まった仕事）を急いで雑にすませる傾向があります。ところが、そのために、こういう仕事がいっそう面白くないものになってしまうのです。なぜなら雑にすませたため、満足感が得られないからです。

一度、やり方を変えてみてください。丁寧にやってみるのです。雑にやったときと比べてどのくらい時間がかかりましたか？　ほんの少ししか違わなかったのではありませんか。

●先に延ばす癖に別れを告げよう

大事な仕事だとわかっていながら、ぎりぎりになるまで放っておいて、ようやく取りかかる――。これは良くない習慣ですが、だれにでも覚えがあるものです。そこから抜け出すための、だれにでもできる方法をお教えします。

1、「私は……しなければならない」という言い方を避ける

代わりに、「私は……したい」あるいは「私は……できる」と言ってみましょう。たったこれだけで、気持ちが前向きになります。

2、結果を気にしない

うまくできるかどうかは気にせず、とにかく始めましょう。結果ではなく、今やっていることに夢中になって力を注ぐのです。結果だけでなく、そのプロセスも楽しんでください。

3、完璧《かんぺき》にはやらない

なまじ完璧にやろうとすると、初めからやる気が失《う》せてしまうものです。考え方を変えましょう。ゆったりした気持ちで取りかかりましょう。

4、もっと遊びを

期日が迫ってくると、自分で自分に罰を与える人がいます。そのような人は、パソコンのゲームをすべて消してしまったり、散歩や、子どもと遊ぶこともあきらめてしまいます。

けれども、遊んでいるときにこそ、精神は創造的になり、高揚するものです。のびのびと自由時間を楽しむことは、残りの時間をもっと価値あるものにしてくれます。

5、自分の不安について知る

大きな仕事に取りかかるときは、だれでも不安を感じるものです。なぜなら頭の中ですでに山の頂上に立ち、あまりの高さに目を回しているからです。その結果、チャンスを逃してしまう人が少なくありません。

でも、だれもがそういう不安を持つものなのです。チャンスを逃さずにすむ方法は、目的までの長い道のりを細かく区切り、それぞれの区切りを目標にして進むことです。

6、不安をとことん見つめる

心配事というのは、すべてにブレーキをかけてしまうため、やる気を殺《そ》いでしまいます。

一般的に言って、私たちは何かを心配するときに、これから起きるかもしれない困った事態を、頭の中で想像しがちなのです。

例えば、「どうしよう、もし、これを期日までに渡せなかったら……」、たいていの人は、ここで考えをやめてしまいます。けれども、ここでやめずに、その先を考えるのです。恐れていることが、実際に起こった場合にどうなるか、そのシナリオを作るのです。

例えば、「もしこれが間に合わなかったら、仕事を失うかもしれない」というように。けれども、ここにとどまってはいけません。さらにその先を考えます。「もしそうなったら、私はどうするだろうか」。

これらすべてを徹底的に考えることには、大きなメリットがあります。そのような場に置かれたとき、自分にも意外と力があるのだと気づくことが多いからです。これは、あなたに自信を与えます。危い橋を堂々と渡る自分を思い描けば、きっと勇気が出ることでしょう。

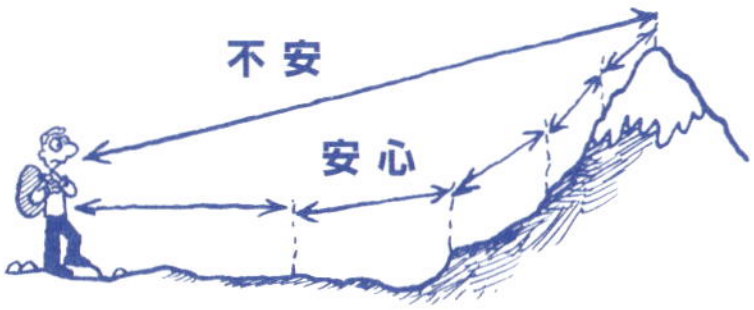

●仕事を任せる

時間が足りないというあなた。仕事を、他の人に任せていますか。

これはとても重要なことです。もちろん職場だけでなく、家庭でも同じです。けれども、そのためにはいくつか気をつけなければならないことがあります。

1、権限をゆだねる

人にものを頼むとき、あまり厳密に指示しないようにしましょう。同僚であれ子どもであれ、相手が自分で決められる余地を残しておくことが大事です。そうすると、相手はがぜんやる気を出します。

例えば、子どもにお使いを頼むときには、必要な品の他に「なんでもいいからおいしそうな果物を買ってきて」とか「きみの好きなソーセージでいいよ」などといった一言を付け加えます。もしその結果、気に入らないものを買ってきたとしても目をつぶりましょう。

2、挑戦させる

「この仕事は大事じゃないから……」などと言って、人に任せてはいけません。

相手の気を殺《そ》いでしまいます。そうではなく、やってもらう仕事の魅力を強調しましょう。子どもにお使いを頼むときは、例えばこんなふうに。「さあて、うまく特売品を買ってこれるかな?」。

3、かなり大きな仕事を任せるなら、中間目標を決める

かなり時間のかかる仕事を、人に任せることができたらとても楽です。ただし、相手に充分な時間を与え、無理はないかチェックしましょう。そして、時々様子を見て励まします。預けたまま放っておいて、1週間もたった後に、いきなりチェックするのはよくありません。

●おじゃま虫の退治法

職場でも家庭でも、何かしているときに邪魔が入ることがありますね。あなたの大事な時間を奪うおじゃま虫。でもちょっとした工夫で退治できるのです。では、そのヒントを。

1、上司だったら

上司というのは、部下はいつでも自分のために待機しており、すぐに動いてくれると思っているものです。ですから、呼んでおきながら電話をかけたり、訪問客と話し終わるまで延々と待たせたりします。こんなときには――。

①やりかけの仕事を持っていく

待たされそうだと思ったときには、できるだけ、やりかけの仕事を持っていくようにします。そうすれば、待っている時間が無駄になりませんし、やる気のあるところを見せられます。

②先手を打つ

呼ばれるのがわかっているときには、前もって、双方都合のいい時間を提案します。そうすれば、あなたは準備ができますし、お互いに時間の節約にもなります。

★ところで……

ここでちょっと考えてみてください。あなたの上司は、本当に「おじゃま虫」でしょうか。

もし上司が、はっきりした目的を持ち、優先順位をつけ、しかも適切な理由があったうえで、あなたの仕事を中断させるのであれば、あなたは時間を奪われていることにはなりません。それでもあなたがそう感じるのであれば、何か他に理由があるのかもしれません。例えば上司を無意識に煙たがっているとか。本当の理由を探してみましょう。

2、同僚だったら

①事前にスケジュールを調整する

同僚が、「相談したいことがある」と、突然言ってきたとき、余程「急ぎ」の用件でない限り、すぐに対応せず、お互いの「スケジュール」をうまく調整するように心がけましょう。こうすることで、職場の「何もかも今すぐ」の風潮をなくすことができます。

②ちょっぴり世間話も

「おじゃま虫」の同僚に対して、きっぱりした態度をとることは大切ですが、ときにはちょっぴり世間話をして、ネットワークを大事にしましょう。そうして、同僚に対する尊敬や連帯感をさりげなく示します。たった5分でいいのです。

★ところで……

ひょっとして、あなた自身が、同僚にとっておじゃま虫になっていませんか。社

内で「アウトサイダー」になりはしないかと気にして、余計なおしゃべりをすることは？　また、仕事が大変すぎて嫌気がさしたり、逆に暇すぎて退屈したりして、自分でも知らないうちに、おしゃべりを歓迎する印象を与えていることはありませんか？

3、訪問客だったら

①すぐに用件に入る

挨拶《あいさつ》だけにして世間話はせず、単刀直入に用件を聞きましょう。

②身体で表現する

招かれざる客の場合は、飲み物を出さないようにします。そして、姿勢を崩さずに接しましょう。

③腕時計の戦略

初めに、だいたいの時間を決めておきます。そして、腕時計を外し、机の上のよく見えるところに置いておきましょう。

④最後に「飴《あめ》」を

相手に対して、「あなたを評価している」と感じさせることが大切です。別れ際には、感謝や褒め言葉（飴）を忘れずに。これで後味がよくなります。

⑤前もって……

15分ほどしたら、「急ぎの用」だといって呼び出してくれるよう、同僚に頼んでおきましょう。

⑥終わりの合図

話を終わらせたいと思ったら「サイン」を出します。手帳をしまい、書類を動かし、こう言いましょう。「今日は、お訪ねいただいてありがとうございました」。相手が気がついて腰を浮かせたら、すかさず立ちあがります。

⑦同伴する

最後が大事です。訪問客をきちんと送りましょう。戸口まで、エレベーターまで、あるいは車まで。たいして時間はかかりません。

けれども、相手は自分のために時間を使ってくれたと感じます。たとえその人に、10分しか割かなかったとしても、たったこれだけで、あなたは相手にいい印象を与えることができるのです。

4、自分自身だったら

在宅で仕事をしている人は、自分で自分の仕事を邪魔してしまうことがあります。例えば、

①仕事をしている最中に、別の仕事に関する良いアイデアがひらめいた

「アイデアメモ」あるいは「ICレコーダー」などを用意しておきます。頭に浮かんだ考えを、さっとメモするか録音するかして、速やかに元の仕事に戻りましょう。

②仕事中につい、コンピュータゲームやインターネットなどにのめり込んでしまう

ゲームやインターネットを、自分に対するご褒美だと考えましょう（これとこれを終えたら、ゲームをしよう）。

もし、どうしてもやりすぎてしまうようなら、こんな防止法を。目覚まし時間をセットし、20分後には仕

事に戻るようにします。

●書類（文章）がなかなか書けないときには

1、書き出しが思いつかないとき

1行目でなく2行目、3行目から書き始めましょう。パソコンなら何の問題もありませんし、手書きなら、最初を空けておけばいいのです。文章を仕上げた頃には、自然に書き出しが頭に浮かんでくるでしょう。

2、気乗りがしないとき

「助走」をつけましょう。似たようなケースの過去の書類を引っぱり出してみましょう。あるいは何かの書式を書き写し、ひな形として使って、言葉やデータだけを変えていきます。しばらくすると、スキーのジャンプ台のように、ここから離れて、自分で文章を続けることができます。

3、書くことがまとまらないとき

5分間、テーマに関する考えを、思いつくまま書き連ねます。最後に、関係のあるもの同士をまとめて書き始めましょう。

●やりっぱなし癖と闘おう

あなたには、何でもやりっぱなしにする癖はありませんか。そのような人は、たえずせかされているように感じているため、無意識に時間を節約しようとしていることが多いのです。

その古典的な例に、歯磨きチューブの蓋《ふた》を閉めないことがあげられます。

その他には――、

*食べ残しや、食べ物の包装紙などを車に置きっぱなしにする
*お釣りを財布に入れず、上着のポケットに突っ込む
*コートや服を脱いだ後、ハンガーにかけない
*下着をすぐに、洗濯かごに入れない
*使った道具類を、元の場所に戻さない

いいですか、こうしたからといって、けっして時間を節約したことにはなりません。遅かれ早かれ、それらを片づけなければならないからです。そうこうするうちに、あたりは散らかり放題になります。

また、このような人は、それにかかる時間を過大評価する傾向があります。

●30秒の原則

一度、キッチンタイマーやストップウオッチを使って、普段行っている動作が、いったいどのくらいの時間がかかるものなのか、測ってみてください。もし、洋服ダンスに上着をしまうことが、たった20秒しかからないとわかれば、あなたはすぐにやるようになるでしょう。部屋に掃除機をかけるのは4分間、シャツにアイロンをかけるのは3分間というように。

やりっぱなし癖から抜け出すために、30秒の原則を役立ててください。

「あることをするために30秒、あるいはそれよりかからなかった場合には、すぐにやること」

これを肝に命じておけば、あなたの身の回りは、前よりすっきりするに違いありません。

●情報の洪水をせき止めよう

私たちは、ますます多くの時間をメディアに割くようになってきています。情報の洪水はとどまるところを知りません。

次々と新しいメディアが現れ、暮らしをより便利にしてくれると言われています。ところが、情報はあふれるばかり。ここでも「シンプリファイの方法」を活用してください。

1、「これを読まなければ……」の束を減らす

まだ読んでいない新聞や雑誌、パンフレットを、負担に感じないようにしましょう。さっと見て、その中からぜひ読みたいものを三つだけ残して、あとは捨てます。できるだけその日のうちに三つを読み、本当に大事なものだけを残して処分してしまいましょう。

2、雑誌を読むときには、はさみやカッターを用意する

役に立つ情報が載っている記事を発見したら、そこだけ切り取って、あとは捨てます。はさみやカッターを用意しておくといいでしょう。

3、宣伝コピーを減らす

Tシャツであろうが、コーヒーカップであろうが、暮らしの中の至るところに、宣伝用のコピーがあふれています。それは私たちの気をそらし、無意識のうちにストレスになっています。そういうものは、できるだけ目の前から遠ざけましょう。

例えば、朝食用シリアル。箱は宣伝文句だらけです。それをシンプルな入れ物に移すだけでびっくりするほどすっきりします。

4、テレビを見る時間を減らす

テレビをだらだら見ているのは、時間の無駄になります。

例えばニュース。仕事をしながら、ラジオを聞いてみてはどうでしょう。一般的に、ラジオのほうがテレビより詳しいニュースを聞くことができます。これには、さらにもう一つ利点があります。ニュースをきっかけに、そのままズルズルと、夜の番組に突入する危険を防ぐことができるからです。

5、メールを使うときの注意

①メールフィルターを使う

コミュニケーションを簡単にするには、Ｅメールが便利です。ただし、メールが無限に入ってくるのを防ぐために、Ｅメールフィルターを使いましょう。そうすれば、いらないメールを初めからシャットアウトできます。

②ＣＣ（複数の人に、同時にメールを送る機能）を乱用しない

Ｅメールのの機能は便利で、非常に多くの人々に楽に情報を送ることができます。けれども、これはごく例外的なときだけ使うようにしましょう。これがメールの洪水に一役買っているからです。

③添付ファイルに注意

メールに、画像や他の大きなデータを添付するときにはよく考えましょう。これは本当に必要なときだけ、相手が必要としているときだけ使うようにしましょう。受け取ったほうもいきなりダウンロードせずに、いるかどうかをまず考えましょう。

④返事はすぐに、用件は簡潔に

言うまでもないことです。

シンプリファイのアイデア14

時々は、今の仕事場から逃げ出そう

大事な仕事を抱えていて、一人でゆっくり仕事がしたいとき、方法は一つ。その場所から逃げ出すことです。

仕事ができる人はみな、隠れ家を持っています。こう言ったからといって、なにも海が見えるバンガローが必要だというのではありません。あなたの第二の仕事部屋は――。

1、車の後部座席

どこか静かなところへ行って、後部座席に腰を下ろして仕事を広げましょう。

2、戸外

お天気が良ければ公園や浜辺など気持ちの良い場所で。仕事がいっそう捗《はかど》ります。

3、まだまだ、その他たくさん

使われていない会議室、食事時間でない社員食堂、図書館、カフェ、ホテルのロビーなど、職場から離れていて気分が変わるところならどこでも。

第4章
健　康
（アイデア15〜19）

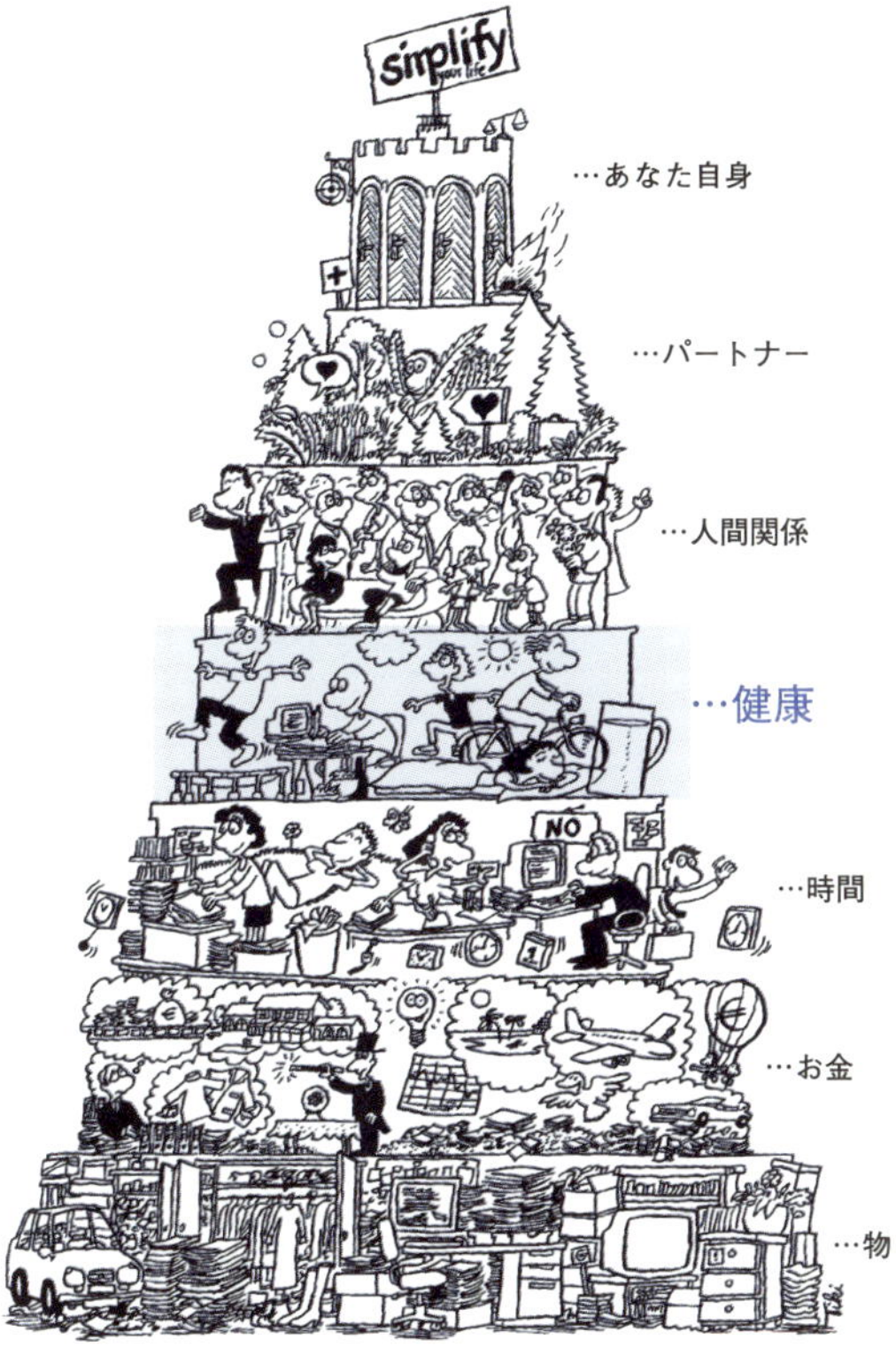

身体が発する声をよく聞き
エネルギーを蓄えよう

「健康」というのは、ただ病気ではないというだけではありません。いつでも気分や体調が良く、しかも体力を蓄えている人が、本当の意味での「健康な人」なのです。

シンプリファイのアイデア15

あなたの身体から、幸せを引き出そう

●身体を動かす

毎日、最低30分は身体を動かしましょう。一番いいのは戸外です。自転車に乗るのも、散歩や庭仕事、ジョギングをするのもいいでしょう。ただ歩くだけでもかまいません。

身体を動かすことによって、β《ベータ》エンドルフィンが出ます。これは、神経細胞と脳細胞との情報伝達を司《つかさ》っている脳内物質（ペプチド）で、アヘンと似た働きをします。つまり、憂鬱《ゆううつ》な気分を追い払ってくれるのです。

また、身体を動かすのに一番安上がりで効果的なのは、階段を上ることです。

●空を感じる

少なくとも、一日一度は、じっと空を見つめましょう。はてしない空の広がりと、頭上に広がる宇宙を感じ取り、思い切り深呼吸し、足元にある地面の感触を味わってください。

これによってあなたは、仕事や義務に対するプレッシャーから解放されます。

その他、βエンドルフィンの働きを活発にする行為は、次のようなものです。
・朝、ぬれた草の上をはだしで歩く
・プールでも海でも、とにかく戸外で泳ぐ
・じっとして自然を味わう
また、月に一度くらい、思いっきり早起きして車を飛ばし、朝日を見に行くのもおすすめです。

●気持ち良く微笑《ほほえ》む

毎朝、鏡の前で微笑むことを一日のスタートにしましょう。

こう言うと、ばかばかしいと思うかもしれませんが、この効用については、すでに研究され、証明されています。心からの微笑は、脳に次のような合図を送ります。

「きっと、いいことがありますよ！」。

●幸せな眠りを

ぐっすり眠れる人は、幸せになれる人でもあります。そのためのごく簡単な方法を。

寝る前に重い食事を取らない、寝る2時間前には食べない。なかなか眠れないようなら、寝る前に神経を鎮めるお茶やホットミルクを飲むのもいいでしょう。

●食事を楽しむ

なんといっても、食事ほど私たちを元気にしてくれるものはありません。とは言うものの、それは何を食べるかによって決まってきます。身体に取り入れるものには注意してください。今ではさまざまな研究が進められ、食事はただ肉体だけでなく、精神の糧にもなるということがわかってきました。参考までにプラスの働きをする食品を記しておきます。

●身体と精神のために良い食べ物

・集中力を増す——アボカド、アスパラガス、ニンジン、グレープフルーツ
・筋肉と脳を強化する——にしん、赤魚
・記憶力を強化する——牛乳、ナッツ類、米
・気持ちを明るくする——オレンジジュース、パプリカ、大豆、バナナ
・ストレスを減らす——カッテージチーズ、アーモンド
・健康を促進する——豆類、豆腐
・よく眠れる——パン、めん類
・免疫力が増す——ニンニク
・性的な能力が高まる——牡蠣《かき》、編笠茸《あみがさたけ》（欧米で食べられているきのこ）、豆のさや
・心臓病やガンを予防し、気分を良くする——寝る前のグラス1杯の赤ワイン

シンプリファイのアイデア16

思い切り感激しよう

あなたが「幸せ」か、あるいは「不幸せ」かは、実をいうとあなたの置かれた状況にはあまり関係がありません。それは、あなた自身にかかっているのです。

たしかに私たちは、「幸せ」を作り出すことはできません。けれども、幸せは、独りでに生ずるものでも、一方的にやってくるものでもないのです。真実は、ちょうどその中間にあります。つまり、幸せを招き入れるか退けるか、それは私たち次第なのです。

高名な心理学者であるM・チクセントミハイは次のように言っています。

「自分の内的な体験を意のままにできる人は、生活の質《クオリティ・オブ・ライフ》を決められる。それは私たちが、通常〝幸せ〟と呼んでいるものにきわめて近いと思われる」

バカンスの間、浜辺でデッキチェアに寝そべっているときに、人生で最高の幸せを体験することはありません。そのような瞬間は、受け身でのんびりくつろいでいるときにはやって来ないものです。そうではなく、心身ともに限界まで張りつめたときに感じるものなのです。

例えば、あなたの中で、内側から湧《わ》き上がる好奇心がムラムラ燃え上がるのに気づき、ついにそれが身をこがすような感激になる、そんなときです。

けれども幸せというのは、決して継続する状態のものではなく、一つひとつの幸せな瞬間が集まった状態のことを言います。チクセントミハイは、それを「フロー」と名づけました。「フロー」とは「流れ」を意味します。実はこれは、目の前の、ある行為に没頭している状態のことを言います。ちょうど子どもたちが一心に遊びにふけっているときのように。

そのような状態の子どもたちは、他のことはすべてどうでもよくなり、水が流れるように、あらゆる行動は自然な流れとなり、まるで時間が止まったように感じられます。そうなると、すべてのことが独りでに動き出すようになります。

「フロー」とは、一つひとつの体験がすっきりと一つにまとまり、一つの流れとなって心理的にシンプルになった状態のことだといえます。

●幸せを味わう七つの秘訣

すでにお話ししたように、「幸せ」を意識的に作り出すことはできませんが、幸せな経験をする土台を用意することはできるのです。次に、そのために有効な七つのヒントをあげておきましょう。

1、全力をあげて、物事に打ち込む

仕事と私生活を厳しく区別することは、幸せにブレーキをかけることになります。

サラリーマンのメンタリティー（9時5時人間）で生きる人は「フロー」の状態にはなれません。「幸せ」を感じるには、何かに没頭することが必要なのです。したがって、仕事と私生活の間を自然に行き来できる人のほうが、それをきっちり分ける人よりも「フロー」経験をしやすいといえます。

２、「今」に集中する

遠くの目標ばかりを見て、現在を忘れてはいけません。「フロー」は、現在をじっくりと味わう人だけが体験できるものなのです。「フロー」の状態では、時計はもはや何の意味も持ちません。過去を思い出したり、未来にばかり思いを馳《は》せたりすることのないように。

３、一つのことに集中する

いくつかの仕事に、同時に注意を払わなければならない人は、「フロー」になることはできません。ある一つのことを完全に仕上げて初めて、幸せな瞬間を味わうことができるのです。

４、仕事を楽しむ

「フロー」を体験する人々とは、仕事の限界を超えて、さまざまな可能性を開くことのできる人です。彼らは自分を、物事の尺度として考えます。他人の評価や、それによって得られる報酬は二の次です。

５、不満を持っている同僚との共同作業を避ける

職場の雰囲気は、あなたの幸せに大きな影響を与えます。もしあなたが、いつも文句たらたらで否定的な考え方ばかりする同僚に囲まれていたら、そういう人々をきっぱり遠ざけるか、それが無理なら配置換えを申し出ましょう。

6、自分で管理できる仕事を探す

主体的に生きることなく、人の言うなりになっていると感じている人は、たとえ仕事を立派にこなせたとしても「フロー」にはなりにくいでしょう。そういう場合は、職場を変えることを考えましょう。たとえそのために収入が減り、会社のランクが落ちたとしても。

7、余暇を楽しむ

仕事に対するのと同じように、余暇を計画し、主体的に過ごしましょう。余暇を楽しみ、生かせる人は、人生に対しても積極的です。そして、長生きでき、病気にもなりにくいのです。

シンプリファイのアイデア17
「フィットネス」から自由になろう

スポーツをすることは、必ずしも（肉体的にも精神的にも）健康を意味するわけではありません。余暇に、スポーツクラブなどに通ってスポーツをしている人の95％は（本人は気づいていないかもしれませんが）、それがなんらかのストレスになっている、と言ったら驚く人が多いことと思います。けれどもそれは、不思議でもなんでもありません。その理由は、ほとんどのスポーツが初心者コース、中級コース、上級コースというように、クラス分けされているからです。

せっかく張り切ってやってきた初心者も、あっというまに業績主義に組み込まれてしまうというわけです（もともとそれが嫌で、それから逃れようとして、スポーツを始めたはずなのに）。

解決策は一つ。「徹底的に楽しむこと」です。身体を動かしている喜びに浸りましょう。そのためには激しいトレーニングではなく、ゆっくりした運動をおすすめします。次に、楽しみながら鍛えられる方法をいくつか紹介しましょう。

1、数分間のトレーニングを

力を出し、それを持続するトレーニングは、健康には不可欠のものです。けれども、やりすぎないよう注意しましょう。

縮んだ筋肉を伸ばす手っ取り早い方法は、「アイソメトリックス」です。これは、壁や机などのような動かないものを強く押すことで、筋肉の強化を目指すものです。5秒から10秒でいいのです。

このようなバランスを取る訓練は、微細な筋肉組織を強め、ダイナミックな動きは、血液循環を良くします。

2、生活の中でできる簡単なトレーニングを

・歯を磨くとき、スキーをするときのような格好で。同時に軽く身体を揺らす

・シャワーの後、体操をするような大きな動きで身体を拭く

・ひげを剃るときは、片足で立つ

・シャツやブラウスのボタンを留めるとき、ネクタイを締めるとき、アクセサリーをつけるとき、これらも同じように片足立ちで

・停止している車の中で待っているときは、両手でハンドルを10秒間押し、お尻の筋肉をつっぱらせる。肩と首を回す

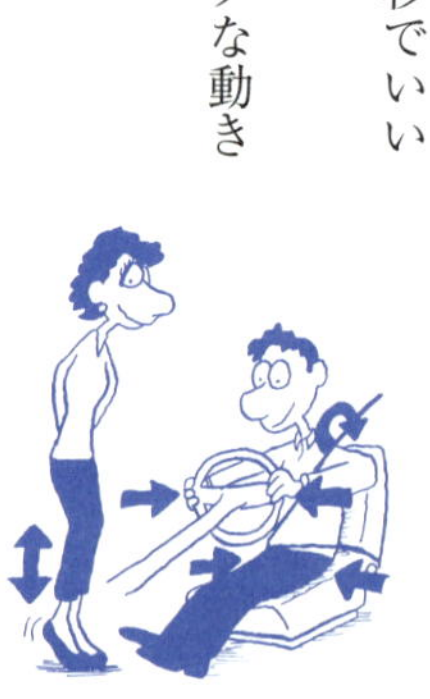

3、頭を使って走る

一番効率の良いトレーニングは、なんといっても走ることです。その際、マラソンランナーや体育学部の学生などをまねすることのないように。いつでもあなた自身の身体の状態を頭に置きながら、次にあげる単純なルールに従ってください。

①まずは、ウオーミングアップのために、軽く走りましょう。1、2分で充分です。

②走りはじめの30秒は、意識して手や肩をリラックスさせ、自分のリズムを見つけてください。
③１分間走ったら、意識的にスピードをゆるめます。また走り出したくなるまで。
④ゆっくり走りましょう。なにもタイムや距離を測ることはないのです。あくまでも、あなた自身が気持ちよく感じることが大切です。
⑤５分後には、身体の受け入れ準備ができています。さてこれからは、空や周りの木や花、自然のにおいや音を楽しみながら走ってください。
⑥20分ほど走ると変化が起きてきます。新たな毛細血管が活性化され、悪玉コレステロールが分解されて、ホルモンバランスがストレスをなくす方向に変わってきます。足取りも軽くなり、これからずっと走り続けられるような気がしてきます。

●活力の源として、散歩を楽しむ

なにも、ジョギングだけが運動ではありません。

もしあなたがリラックスしたり、筋力を鍛えたりしたいなら、とにかく散歩に行きましょう。新鮮な空気を吸って歩くだけで、心筋梗塞《しんきんこうそく》の予防や、体重をコントロールするのに非常に効果があります。

一番いいのは、散歩を習慣にすることです。天気に関係なく、毎日30分歩くことから始めましょう。

ここで、あるイギリス人からのアドバイスを。

「散歩にふさわしくない天気などはない。ただふさわしくない服があるだけだ」

そのとき、ブラブラ歩くのではなく、目的を持ってせっせと歩きましょう。パートナーを探すのもいいでしょう。連れ合いでも、友人でも、子どもでも、犬でも。

歩数を数え、意識的に呼吸します。初めの6歩で息を吸い、次の6歩で息を止め、次の6歩で息を吐き、次の6歩でまた息を止める……。これを繰り返します。もし6歩では長すぎるようなら、もっと短くしてください。

これはインドの呼吸法ですが、落ち着いた静かな気持ちになり、物事を受け入れやすくしてくれます。

散歩のときに、特定の木や川など、きれいな景色を見るようにしましょう。それらの景色に、季節の移り変わりを感じてください。こうすることによって、散歩はちょっとした「巡礼」になり、心理的にもエネルギーを蓄えることができます。

とっておきのヒントは、文豪ゲーテのアイデアです。

散歩のとき、ゲーテはいつも花の種を持っていました。そして歩きながらそれを道端にまき、翌年あちこちに、それらが芽生えて花が咲くのを見て喜んだそうです。

●動機づけのヒント

・無理をせず、楽なスケジュールで
・人から言われたからではなく、自分の意思で

・計画を立てる。いつから？　週に何回？　どのぐらいの時間？　どこで？
・自分で自分をチェックする。人と約束する、あるいはカレンダーに印をつける
・たった5分間でも効果があるということを頭に置く
けっして遅すぎることはありません！　70歳になってから始めたとしても、驚くほど筋肉を強化し、心臓の状態を良くすることができるのです。

シンプリファイのアイデア18

贅肉《ぜいにく》を落として身体をすっきりと

余計な贅肉を落としましょう。けれどもダイエットや、痩《や》せるための特殊なプログラムを実行する必要はありません。私たちが勧めるのは、

①やりすぎることなく、規則正しく

②劇的な変化ではなく、ゆるやかな進歩

③きびしいルールに従うのではなく、少しずつ

の三つの原則です。

毎日の暮らしを変えることによって、1、2年かけて標準体重に持っていきましょう。そのためには、次の九つのことを心がけてください。

1、理想的な外見を思い描く

世の中には、完璧《かんぺき》な外見の人などほとんどいません。おなかが出ている、鼻が大きすぎる、額が広すぎる、胸が小さいなど、だれもが、なにかしら自分の身体に不満があるものです。

どうでしょう、逆の手は？

鏡の前に立って、自分の長所だと思うところを口に出してみてください。「私

は歯がきれいだ」「手がきれいだ」……。他にも微笑《ほほえ》む感じがいいとか、声がきれいだという場合もあるでしょう。こうすることで、いかに積極的な気分になれるものか、あなたはびっくりするに違いありません。

次に、すらりとした自分の姿を思い浮かべてください。

こうすると、右脳（思考や感情、イメージなどを支配する）にその理想像が記憶され、しだいに、あなた自身に影響を及ぼします。その結果、知らず知らずのうちに、それに近づいていくようになります。

2、毎朝、体重を測る

とにかく、毎朝体重を測りましょう。なんといっても、体重計は、あなたの身体の状態を知らせてくれる大切な友です。そのとき、測りっぱなしにせず、壁にグラフなどを貼って、そこに書き込みましょう。折れ線グラフにすると、ひと目で増減がわかって便利です。

3、朝食は果物だけにする

体重を落とすために、食事をうんと減らす必要はありません。食事の取り方を変えればいいのです。しばらく訓練すれば、果物だけでも変化に富んだ朝ご飯が楽しめることに気づくはずです。

新陳代謝を促すのに特にいいのは、パイナップルです。もちろん、こればかり食べるのはよくありません。他の果物と組み合わせてください。

量は気にせず、好きなだけ食べてください。これにはさらに良い効果があります。午前11時までの間に果物だけを食べていると、毎日自然に腸の掃除ができるのです。

4、「生きているもの」を食べる

食材の成分について考えてください。

あなたの食べているものは、生きていますか？　それとも死んでいますか？　もともと私たち人間は「生きているもの」を食べてきました。

生きているものとは、果物、野菜、丁寧に作られた（有機栽培などの）穀物です。それに対し、死んでいるものは、肉類、精製された砂糖、瓶詰めや缶詰、ジャンクフードなどです。

5、おいしく思えるかぎり、昼は好きなだけ食べる

ものを食べるとき、私たち人間には（すべての動物がそうですが）、はっきりした物差しがあります。ですから、満腹になった後は、どんなにおいしいものでもあまりおいしいと思わなくなります。幸い私たちは、この本能をまだ失っていません。

ただ、味が良いために、これが機能しなくなることはたしかにあります。ですから、何日間か意識的に観察して、自分の満腹ポイントを見つけましょう。それがわかったら、食べすぎないことが大事です。堂々と残して、満腹感を味わってください。

6、夕食を減らす

夜、食べ物を消化することは、身体にとって負担になります。したがって、脂肪として身体に蓄えられるのはたいてい夕食に食べたものです。ですから夕食を一番軽くしましょ

う。その結果は、すぐに体重計に表れます。

7、時にはルールを破る

食事やパーティーに誘われたら、あきらめる必要はありません。カロリーを減らすことにある程度慣れていれば、時々食べすぎても大丈夫です。その後で、自然に、あまり食べたくない日ができます。

8、几帳面にやりすぎない

ほとんどのダイエットは、几帳面にやりすぎて失敗します。あるいは、いったん痩《や》せて、またリバウンド（逆戻り）してしまいます。少しずつ、食事の取り方を変えていくほうが賢いやり方です。できるだけ家族と一緒に行ってください。

9、水を飲む

小腹が空いたときには、ヨーグルトやクッキーなどに手を伸ばさず、水を飲みましょう。一番効果的なのは、食事の前にコップ1杯水を飲むことです。コーヒーや紅茶はできるだけ減らしましょう。しばらくそれを続けていると、そういう飲み物なしでも平気なことに気づくはずです。

アメリカのバトマンゲリジ医師は、長年にわたる研究の結果、ほとんどの文明病は、新陳代謝がうまくいかないからではなく、水分不足が原因だという結論に達しました。思えばこれはパラドックス（逆説）です。私たちは、ものすごく水分を取っているのに、身体のほうは不足しているというのですから。この訳は、私

たちが飲んでいるものの多くに、副作用があるからです。次に、水について詳しく説明しましょう。

●水を上手に利用しよう

1、なぜダイエットドリンクを飲んでも痩《や》せられないのか

バトマンゲリジ医師は、ダイエットドリンクばかり飲んでいる患者の体重が著しく増えるのに気がつきました。その訳は、コーラをはじめとする、アメリカで消費される飲み物の80%以上に、カフェインが含まれていることにあります。

カフェインは、直接脳に働きかけて、あらゆる常用癖の徴候を呼び起こすだけでなく、さらに腎臓《じんぞう》に働きかけ、水分を排出させます。そのため、カフェインの入ったコーラを飲んだ後は、すぐにのどが渇くのです。

また、私たちの身体は、この渇きを間違って解釈してしまいます。つまり、水分をたっぷり取ったと思い込んでいるため、本当はのどが渇いているのに「空腹」と間違えて、必要以上の食物を取ってしまうのです。

この秘密は、アデノシン三燐酸《さんりんさん》にあります。

これは、私たちの細胞の中にある化学物質で、エネルギーがここに内蔵されて貯えられたり、放出されたりします。ところが、どうやらカフェインは、この働きを弱めるらしいのです。したがって、細胞内のエネルギー代謝に混乱が生じ、元気が出たと感じたりするのだそうです。

砂糖を含んでいればコーラは、少なくとも、とりあえず脳の要求を満たし、エネルギーの一部を補ってく

れます。ところが人工甘味料で甘くしたダイエットドリンクはそれをしません。その結果、もっとのどが渇いておなかが空いたような気がするのです。

甘いものを取ると、エネルギーが補給されることを、私たちの身体は経験的に知っています。肝臓は糖分を受け入れる準備をし、内因性のたんぱく質の濃度や蓄えの転移を抑えます。ところが、この後に本物の糖分が来ないと、肝臓は脳に訴えます。「おなかが空いた！」。

たとえ充分に栄養を取った後でも、甘味料によって空腹感が引き起こされると、それが場合によっては１時間半も続くことが、多くの実験で証明されています。このようなダイエットのために、砂糖入りの飲み物をあきらめたとしても、こうして必要以上の量を食べてしまう人が多いのです。

２、なぜ塩を抜いてはいけないのか

ダイエット法の中には、無塩のメニューによって、すぐに体重を減らすことを目的にしているものもあります。でもこれは、危険なトリックです。なぜなら、たとえ体重が減っても、それはただの水分不足からきていることが多いからです。

たえず塩分が不足していると、酸が出ます。これはＤＮＡ組織を傷つけ、がんの発生を誘発します。また、骨粗しょう症の大きな原因にもなっています。

ぜんそくやアレルギーの場合も、水と塩が大きなかかわりを持っています。この二つは、ほとんどのアレルギーのもとになっている神経伝達物質、ヒスタミンの放出を抑えます。

現代の栄養学ではとかく塩は悪者にされていますが、塩には自然のアンチヒスタミン作用があり、また、肺の中では、空気の通路を湿らせ、粘液が空気の汚れを取るために必要なのです。

3、正しい水の飲み方

原則……食事の30分前、それから食後2時間半にもコップに1杯、水を飲みます。最低これだけは飲んでください。その他、たっぷりした食事にはコップ2杯、眠る前にはさらにもう1杯飲むようおすすめします。

①毎日飲む水の量を計算する

1日の水の必要量をもっと正確に計算できます。体重1キロにつき30ミリリットル、例えば66キロならおよそ2リットルです。自分の必要量を飲めば、もっと飲みたいという気にはなりません。したがって、ビールやワインの飲みすぎも防ぐことができます。

②いつもそばにコップを

水を入れた大きなコップを、いつもそばに置いておきましょう。一番いいのは、５００ミリリットル入るものです。しばらくすれば、定期的に水を飲む良い習慣がつき、甘いものをはじめ、コーヒーなど、習慣になっているものがあまり欲しくなくなります。

③冬はお湯を

寒いときは、卓上ポットにお湯を入れておきましょう。これは、びっくりするような効果があります。1週間もたてば、あなたは1杯の白湯《さゆ》で、コーヒーや紅茶と同じように頭がすっきりするのに気がつくでしょう。声がかれたり、風邪をひきかけたりしたときにも効きます。これはインドのアーユルヴェーダで普通に行われている方法です。

④塩分を忘れずに

水の量を増やしたら、塩の量も増やしてください。

水2リットルに、およそ3グラムの塩が必要です。塩分を取りすぎると身体がむくみ、不足すると筋肉が痙攣《けいれん》したり、めまいがしたりすることがあります。

バトマンゲリジ医師は、「水は、脱水に効く一番安い薬だ」と言っています。

定期的にたっぷり水分を取っていれば、糖尿病、心筋梗塞、胃かいようなど、さまざまな病気を防ぐことができます。また、精神的なものが関係しているさまざまな病気にも効果があります。

⑤水と塩でぐっすり眠る

バトマンゲリジ医師は、不眠症の患者に対して、次のような簡単な方法で大きな効果を上げました。寝る前にコップ1杯の水を飲み、その後で舌の先にほんの少し塩を載せるのです。そのとき舌は緩めたまま、上顎《うわあご》につけないようにします。こうすると、脳の中で放電の強度（緊張度）が下がって、眠りを誘います。

⑥スピーチには、コップ1杯の水を

もしあなたが時々スピーチや講演をするなら、次のようにしてみてください。話しているとき、筋道がわからなくなったら、少しのあいだ口を閉じ、脇に置いたコップに手を伸ばします。理由はよくわかりませんが、とにかく水を飲むと頭がはっきりするのです。90％以上の確率で、テーマへ戻れます。

ですから、スピーチの前には、いつもコップ1杯の水を用意しましょう。

シンプリファイのアイデア19
リラックスしよう

現代社会は、寝不足の人が増えています。成人では、祖父母の時代より70分以上も睡眠時間が減っています（1910年の統計と比べると、子どもや若者は90分も減っています）。免疫性障害、感染症、神経障害、偏頭痛、アレルギーなどの多くに睡眠不足が関係しています。

睡眠によって、我々の脳が充電されることはすでに解明されています。これによって、知的な面が活気づき、元気が出るだけでなく、反応する、何かを成し遂げるなどの能力も改善されます。

バージニア大学の睡眠研究者、ジョン・M・タウブは、すでに1976年に、有名な論文を発表しています。

それによると、昼寝をした後は、被験者たちの現場処理能力が15%ほどアップしたというのです。ミスも3分の1減り、機嫌が良くなり、やる気も出たといいます。また、血液中のエネルギー量もはっきり増えたのです。

ただし、過ぎたるは及ばざるがごとし。ベルリン大学の研究者、カール・ヘヒトの綿密なテストの結果、4時間以下、あるいは10時間以上眠るのは健康に良くないことも証明されています。ヘヒトによれば、それによって死亡の危険性が倍になるといいます！

私たちは、夜の睡眠と1日何回かの昼寝によって、自分にとって最高の睡眠のパターンを作ることができます。

●昼寝のススメ

1、ナポレオンの睡眠法

「男は4時間、女は5時間、愚か者は6時間」

これがナポレオンの睡眠に関する信条でした。彼は驚くほど少ししか眠りませんでしたが、何度も短い昼寝をして、睡眠不足を取り戻していました。

その際に大事なのは、時間の長さより回数です。

これは、眠りに入る瞬間に、身体から成長ホルモンが出て、それが疲労回復へつながるためだろうと推測されています。

2、ダ・ヴィンチの法則

ルネッサンスの天才、レオナルド・ダ・ヴィンチは、制作に没頭している期間は、夜には一切眠らず、4時間ごとに15分ずつ昼寝をしたといいます。

ハーバード大学の研究者、クラウディオ・スタンピは研究の結果、限られた期間なら、これは可能だということを結論づけました。ドイツの競艇選手の中には、この知識を利用して、良い結果をあげている人もいます。

緊急に仕上げなければならない仕事を抱えたときなどに、このダ・ヴィンチの法則は役に立つでしょう。そのときには、25分から30分の昼寝を3回、それから夜に90分、「錨《いかり》の眠り（拠《よ》り所になる眠り）」を。これは、今は夜だということを身体に知らせるためです。

3、眠りにくい時間帯と、健康な眠りのための窓

誰にとっても1日に2回、眠りにくい時間帯があります。それは午前10時から11時と、午後8時から9時の2回です。ですから、この時間を避けて寝るようにしましょう。

1時間半に一度、私たちの脳の中では、リフレッシュさせる短い睡眠を呼び込む窓が開きます。これを見つけるのはごく簡単、すごく眠くなったときがその時です。

眠りの窓が開くと、だるくなり、あくびが出て、まぶたが重くなり、反応が鈍くなります。そのときに寝るようにすれば、自然の要求に身を任せることになります。

4、眠りの必要性をテストする

・昼間、横になって10分以内にウトウトしたとき（若い人の間ではこれはもっと短いかもしれません）
・電車やバスで眠くなったとき
・会議中、話している人の最後の言葉が耳に入らなかったとき

睡眠不足を解消するには、夜は最低7時間、その他、午後に一度昼寝をしましょう。それでだめなら、週末に。「寝《ね》だめ」はできませんが、睡眠不足のほうは、2日か3日、8時間眠れば解消します。

●気持ち良く昼寝をするための九つのコツ

1、昼寝に対してプラスの感情を持つ

後ろめたい気持ちを抱かないことです。もし上司や同僚にからかわれたら、昼寝は人間の生き物としてのリズムにかなっていることを教えてやりましょう。ドイツの有名な電機会社ジーメンスをはじめとするいくつかの企業では、昼寝のための部屋を社内に設けた結果、目に見えて業績がアップしたといいます。

昼寝は、私たちのバイオリズムに合っているのです。アテネ大学の医学部の長期間にわたる調査によれば、昼寝をすると、心筋梗塞《しんきんこうそく》になる確率が30％も減るといいます。

2、規則的に

できるだけ同じ時間に、同じ条件の下で昼寝をするようにしましょう。一番いいのは午後2時から5時の間です。最低4分間は眠りましょう。この時間に眠ると効果は倍になります。もし仕事の関係で昼寝ができないなら、勤務時間のあとでもいいのです。

3、決まった順序や小道具で

すぐに眠りへと誘われるように、いつも同じイス、同じ枕などを用いましょう。

4、気分の良い場所で

静かで安定した気分になれるところで眠りましょう。薄暗く、あまり暖かすぎ

ないところが向いています。

5、量より質

疲労回復は、時間の長さよりも、いつ睡眠をとるか、その時間のとり方にかかっています。ベストタイミング（眠りの窓が開いたとき）で始めた昼寝は、スペインのシエスタ（長い昼寝）と同じだけ、あるいはそれ以上の効果があるのです。普通、4分から20分くらいまでがいいでしょう。

6、場合によっては、どこででも眠る

机に向かっているときでも、電車の中でも、どこででも、上手に眠ることができるようになれば、言うことはありません。ただしイスに座って眠るときには姿勢に気をつけましょう。足を広げてうつむき、両手はひざの上に置きます。足を組むのはよくありません。

7、何かに耳を傾ける

瞑想《めいそう》音楽でも、エアコンの音でもかまいませんので、何かに耳を傾けましょう。その音が規則的であればあるほど、眠りに誘われやすくなります。

8、上手に起きる

突然起きるのはよくありません。起きるときにも、眠るときと同じくらいの時間をかけましょう。深呼吸をし、身体を伸ばし、あくびをします。冷たい水を顔にかけたり、歯を磨いたり、水を飲んだり、ヨーグル

トを食べたりするのもいいでしょう。脳に良い刺激を与えます。

9、あなたは確固たる昼寝の反対者?

昼寝をすると、かえって疲れが出るという人たちがいます。もしあなたがそうだとしたら、4日から5日間、昼寝を続けてみてください。そうすればたいていの場合、気持ち良く昼寝ができるようになります。年をとったとか、能率や意欲が衰えてきたと思ったときに始めると特に意味があります。

場合によると、昼寝の効果が実感できるようになるまでに20日くらいかかるかもしれません。けれどもそれを超えれば、必ずうまくいきます。

●朝、気持ち良く起きるために

1、起きてすぐに水を

寝ている間に、私たちは1リットルから2リットルの水分を失っています。一番いいのは起き抜けにコップ2杯の水を飲むことです。それもベッドで飲むといいでしょう。

2、思いっきり伸びをする

犬や猫のまねをして、目がさめたときに、思いっきり伸びをしましょう。眠った後は、筋肉や靭帯《じんたい》、腱《けん》が縮んでいます。身体を伸ばすことで、酸素を体内に取り込み、幸せのホルモ

ンが出て、筋肉を動かすための準備を整えます。5分あれば充分です。あなたにとって気持ちの良いやり方でストレッチをしましょう。

3、お気に入りの香りを用意する

ラベンダーやペパーミント、レモンなど、お気に入りの香り（エッセンシャルオイルなど）をナイトテーブルに置くのもいいでしょう。

4、朝の準備は前日にしておく

前の晩に服や鞄などを準備し、朝ご飯のテーブルの食卓も整えておきます。

5、シャワーを浴びる

シャワーは、暖かい湯を水に切り替えた時点で初めて、目覚ましの効果があります（摂氏15度くらい）。一番いいのは、クナイプ牧師が勧める方法です。これは、冷水をだんだんと心臓のほうに近づける方法で、最初に右足、それから右腕、それから左足、左腕、背中、最後に胸というふうに浴びていきます。このとき冷たい水を口に含むと、冷水のショックがさらに和らぎます。

6、朝の新鮮な空気を吸う

新聞を取りに行くついでに、「3分間散歩」をしましょう。何も食べないうちに新鮮な空気を吸うと、血液の循環と新陳代謝に効果があります。

７、緑茶を飲む

シカゴ大学の実験で、朝食の飲み物として、緑茶がいいという結果が出ました。これは、紅茶やコーヒーと違い、身体からあまり水分を奪わないからです。おまけに気分が良くなるホルモンであるセロトニンの量を増やします。

さて、これでシンプリファイへの道をふたたび数歩進みましたね。次のテーマは、あなたの周りの人たちです。

第5章

人間関係

（アイデア20〜24）

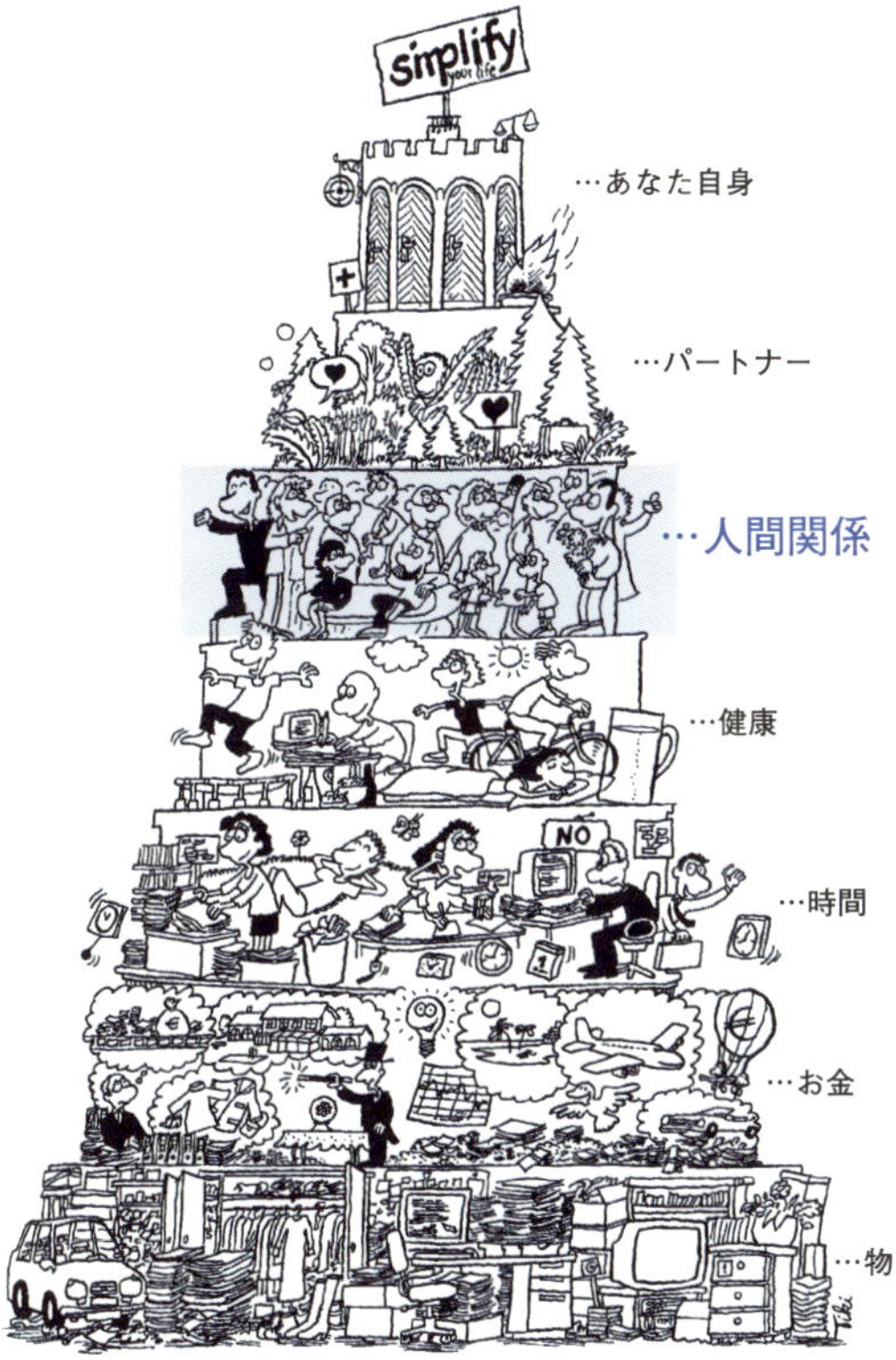

「ギブ＆テイク」を上手に保ち 深くつき合い、それを楽しもう

本当に助け合える友人・知人のいる人生は、豊かでシンプルです。そのような人たちを見つけ、より充実した人間関係を築きましょう。

シンプリファイのアイデア20

ネットワークを作って孤立を避けよう

雑誌などで、名士同士が頻繁に会っているようすを見ることがあると思います。これが社会的なネットワークの秘密です。そもそもこのように、人と会うことによって初めて、名士は名士たりえるのですから。

成功者といわれる人で、ネットワークなしに成功した人はいません。以前これは「コネ」といわれ、いくぶん否定的に見られていましたが、今では認められています。なぜなら、これによって、お互いに得るものがあるからです。だからといって顧客を探すとか、子分を得るためのものだとは思わないでください。そうではなく、だれもがそこから、何らかの利益を引き出すことができる状況というふうに考えてください。

「この人は、私の役に立ってくれるのだろうか?」などいうことを頭に置いて、人を見てはいけません。持って生まれた、自分の好き嫌いの勘を信頼してください。もし相手に好意を持ったなら、それが顧客であろうと、同僚であろうと、ちょっとした知り合いであろうと、その人のために時間を割きましょう。ただし、その際「ギブ&テイク」の精神が必要なのは言うまでもありません。してもらうことばかり考えるのではなく、自分が相手に何をしてあげられるかを考えましょう。

ネットワークを作るにあたって、次にあげる三つの点に注意してください。

①初めから相手を受け入れる姿勢を示す。例えば３カ月もの間、新しい同僚とほとんど口をきかないでいて、４カ月目になって、その人を仲間に引き入れようとしてもうまくいかないでしょう。

②ただし、相手にまとわりつかないように。むこうから自然に近づいてくるような機会をさりげなく用意しましょう。

③何もかも偶然に任せていてはいけません。ネットワークというものは、あくまでも計画的になされるべきです。次に、そのためのヒントを。

1、オープンハウスのススメ

友達や同僚をはじめ、さまざまな人との約束も、数が多すぎれば、こなすことができません。そこで、こうしてみてはどうでしょう？　ひと月に一度、自宅を開放するのです。お客さんの人数がわかりませんから、何もかも出たとこ勝負で用意することになりますが、それもまた楽しいものです。

2、大家族会を開く

親戚《しんせき》づき合いも同様に。例えば1年に一度、大がかりな家族会を開くのです。こうすればつき合いが保たれますし、親戚同士、いくども訪ね合う手間が大幅に省けます。

3、新しく人と知り合うことを恐れない

パーティーやセミナー、家族の集まりなどに行ったら、いつも知り合いのそばにばか

り座っていることのないように。つき合いを広げる絶好のチャンスを逃す手はありません。

4、招かれたときの心得

次に、招くほうではなく、招かれたときの心得をいくつか。

①返事は早めに、きちんと

先方の手間を省くため、これは必ず守ってください。

②手みやげには花を

手みやげには、花を持っていけば間違いありません。ただ、花瓶を探したり、花を生けたりという手間をかけさせることにもなるので、場合によっては、アメリカ人がよくやるように、すでにアレンジしてあるものを持っていくのもいいかもしれません。これも生花と同じくらい長持ちします。

避けたほうがいいのは、次のものです。

・鉢植え（後の世話を強いることになる）
・カーネーション（時代遅れな感じがする）
・真っ赤なバラ（愛の告白ととられるかも）
・ユリやキク（お墓を連想させる）

③5分の遅れで

時間に遅れずに。けれど早すぎてもいけません。相手がまだ準備しているかもしれませんから。一番いいのは5分ほど遅れることです。

④長居をしない

長居しないようにしましょう。あまり早く帰るのも失礼ですが、長居も禁物。一番いいのは、他の人がつぎつぎと帰り始めた頃です。

⑤忘れずにお礼を言う

帰るときには、必ずお礼を言うのを忘れないようにしましょう。翌日に、お礼の電話をするのもいいでしょう。

シンプリファイのアイデア21

親との関係をシンプルに

あなたの人生の中で最も難しく、複雑かつ重要なのは親との関係です。負い目、情愛、怒り、依頼心――これは、避けて通れないテーマでしょう。だからこそ、気持ちの整理をしておくことが大事なのです。親とのつき合いで心がけておかなければならないのは――。

1、親が年をとっていることを肝に銘じる

あなたが子どものとき、親は「現代的」で「オープン」だったかもしれません。けれどあなたが成人した今、両親は、ひと世代前の人たちであることに配慮しましょう。そこから起きる対立も、冷静に受け止めることが大事です。

2、親の話に耳を傾ける

子どものときのように、親の言う通りにするという意味ではありません。ただ、心を開いて親の話に耳を傾けましょう。その経験から得るものは少なくありません。両親をもっと理解できるよう、あなたが生まれる前の出来事を、できるだけたくさん聞いておきましょう。具体的な話をいろいろ聞いておけば、いつか自分の子どもたちにも話すことができます。

3、「わかっている」という思い込みを捨てる

子どもの頃そうだったように、親との間には言葉などいらないと思い込んでいる人が大勢います。自分は親の気持ちがわかっている、と。けれども注意してください。

こんな例があります。息子が、母親の誕生日にオペラに招待しました。子どもの頃によく行っていたのを覚えていたからです。ところが母親は喜びませんでした。彼女は、夫につき合って、仕方なく行っていたからです。

このようなことのないよう、親が何を望んでいるのか、はっきり聞くようにしましょう。

4、どんな性格を両親と共有しているかを知る

自分の長所や短所をよく見つめてください。その両方を通じてあなたは、親と結びついているのです。それをはっきり知ることによって初めて、よりよい生き方が見えてきます。

5、対立したときの対処の仕方を学ぶ

何かで、親と決定的な対立をしたとします。そんなときには、電話ではなく、手紙を書くか、訪ねていくかして解決するよう心がけましょう。

それでも、どうしてもわかり合えないこともあります。そのようなときには、「もう会いたくない！」などと言わず、話し合って冷却期間を置くようにしましょう。時間がすべての傷を癒《いや》してくれるわけではありませんが、時効のような働きはしてくれます。

シンプリファイのアイデア22

嫉妬《しっと》から自由になろう

もしあなたが、たえず自分を他人と比べていたら、あなたにとってはもちろん、周りの人たちにとっても、人生はどんなにつらいものになることでしょう。もちろん（自分ばかり損しているという疑いにさいなまれ、落ち込むことがなければ）、比べることそれ自体は別に悪いことではありません。

お金であれ、美しさであれ、才能や名声であれ、妬《ねた》みの種は尽きません。けれどもそれを克服する方法はあるのです。

1、光と影を見つめる

いつもいい思いだけをしている人はいない、ということを肝に銘じましょう。

何かいいことがあれば、必ずそれへの代償が払われているのです。他人を妬む人はそれを見ずに、結果だけを手に入れたがっているのです。

例えばバイオリンの名手。彼（彼女）は幼い頃から厳しいレッスンに耐え、他の楽しみをあきらめて、現在の名声を手にしているのです。あなたもそうしたいですか？

それだけではありません。権力や地位のある人には、往々にして敵がいるということもお忘れなく。

２、嫉妬しないためのおまじない

人を妬む心とはつまり、相手を認めようとしない気持ちです。そこで一つの方法として、相手を意識的に支援してみてはどうでしょう。次のおまじないを練習し、心の中で言ってみます。「私は、あなたの成功を喜んでいますよ。応援します」。このせりふを、気持ちのうえで抵抗がなくなるまで繰り返します。

これは、妬みを和らげるうえで、とても効果があるだけでなく、健全な自負心を育ててくれます。

３、他人を心から褒める

文豪ゲーテは言いました。「人の成功を受け入れるための唯一の手段は愛だ」。実に深みのある言葉だと思いませんか。

容姿、性格、教養、生活のスタイルなど、他人を心から褒めましょう。

そんなことできっこない？　いえいえ、そんなことはありません。嫉妬とは、もともと相手を賞賛する気持ちが歪《ゆが》んだものなのですから。

こうすれば、あなたの嫉妬心は、他人の美点を心から認め、人を正当に評価できるという個人的な長所に変わります。そんなあなたを人は尊敬するでしょう。

４、共同作業をする

通常、自分が妬んでいる相手との関係は悪くなりがちです。けれどもこれは、とても損なことです。それより、相手に率直に成功の秘訣を尋ねましょう。もっといいのは、その人と一緒に働くことです。その人が本当に優れているなら、必ず得るところがあるはずです。これをチャンスと思って、相手からしっかり学んでください。

5、創造的な道を切り開く

嫉妬《しっと》するのは、往々にして自分の中にある創造性を生かし切っていないことの証《あかし》です。あなたの創造的な才能を生かしましょう。文章を書く、絵を描く、楽器を弾く、何でもいいのです。

自分の素質を意識すればするほど、そして、それを伸ばせば伸ばすほど、嫉妬はあなたから遠ざかっていきます。

6、暮らしをシンプルに

暮らしをシンプルにすればするほど、嫉妬とは縁がなくなります。

例えば、少ない物で、すっきり暮らしたいと考え、豪華な食器のセットを処分したとします。そうすれば、他人がもっとすてきなコレクションを持っていたとしても、羨《うらや》むことはないでしょう。

次に、あなたが妬《ねた》まれた場合のアドバイスを。

1、健全な誇りを持つ

周りに気兼ねして、自分の成功や長所に対する誇りを、押し殺す必要はありません。

鼻にかけてはいけないのはもちろんですが、素直に誇りを表しましょう。

もし悪意のあるお世辞を聞かされ、そこに嫉妬が混じっていると思っても、平然としていることです。また、こんなことはだれでもできるなどと謙遜《けんそん》することはありません。堂々と、自分の長所を認めてください。

2、事態をはっきりさせる

だれかがあなたに嫉妬し、そのためにあなたに害が及びそうになったら（いじめ、上司への告げ口、悪口を言いふらすなど）、相手と冷静に話し合う必要があります。けれどもこのとき、嫉妬をテーマにしてはいけません。相手は否定するに決まっています。そうではなく、冷静で現実的な解決法を考えましょう。

3、心から相手を褒める

心から褒めることは、相手の嫉妬心をなくすのに役立ちます。けれども、「過ぎたるは及ばざるがごとし」です。やりすぎると逆効果になるのをお忘れなく。

シンプリファイのアイデア23

怒りから自由になろう

社会的なネットワークを作るうえで、最も妨げになるのは、他人を批判したい、人の欠点を改めさせたいという欲求です。もっと気楽に心安らかに生きたいと思うなら、すぐに人を批判したがる気持ちや偏見に蓋《ふた》をすることです。

●あなたの批判と現実は、けっして同じではない

ここで忘れてならないのは、たえず人を批判していると、その考えがどんどん支配的になっていって、ひいては現実を歪《ゆが》めかねないことです。

あなたがこう思ったとします。「ペーターは怠け者だ」。この意味するところは、「怠け者」という現実ではなく、「もっと勉強す（働く）べきだ」というあなたの気持ちです。いつもこう思い続けていると、これは限りなく広がっていきます。「ペーターは試験に落ちるに違いない、退学になる、仕事が見つからない、落ちこぼれる、ドラッグに手を出す……」。

こうしてあなたの考えは、ますます否定的な方向へと進み、ついには現実の姿までも歪めてしまうのです。できるだけ客観的な評価をするようにし、批判の悪循環に陥らないようにしましょう。

●他人のことから考えをそらす

人生は、次の三つに分けられます

①人生そのもの（自然現象、一日は24時間、いずれ死ぬことなど）

②他人の人生

③自分の人生

問題にすべきは、三つ目の「自分の人生」だけです。

①の「人生そのもの」は変えることができません。また、たえず他人の人生や欠点に目を向けて、どうしたらいいか考えることは大変な負担です。心理学者のジャック・ドーソンは言っています。

「自分の力で変えられることだけを考えて暮らすことほど、人生を楽にする方法はない」

●批判はあなたを消耗させる

一般的に言って、批判的な気持ちはストレスを引き起こします。でもそれは、もとはといえば、あなたの頭の中で生まれたものなのです。しかもそのために、あなたは高い代償を払わなければなりません。というのは、そのために孤独になるからです。

例えば、「なんてひどい服を着てるんだろう」のような一見罪のない批判ですら、うっかりするとこうなりかねません。

「あの人は、自分について注意を払わない人なんだ。センスも悪いし、他の点でもぱっとしないに違いない。

あの人とはつき合わないほうがいい」

ドーソンによれば、日頃から批判的な気持ちの強い人は、そうでない人に比べ、人の意見に耳を貸さない傾向があるそうです。

「でも、批判すべき点はしなければ……」と言われるかもしれません。ですが、ご心配なく。人間というのは、いちいち批判されなくてもそれなりにやっていくものです。もともと人間に備わった判断力を信じてください。

心理学者のジョン・カバト＝ジンはこう言っています。

「他人を批判しない人のほうが、したがる人よりもずっと明晰《めいせき》な決断を下し、また自分を幸せに感じている」

●しかめ面はストレスのもと

もともと私たちには、人生をのびのびと楽しく過ごすための素質が豊かに備わっています。せっかくの良い素質を、さまざまな思い込みや、こうすべきだとの信条が覆い隠しているのです。本来の明るさを取り戻すために、次のようなことを心がけてください。

1、違う観点に立つ

「彼はいつも帰りが遅い」

あなたがこのような不満を持っているとします。すると、たちまちこんなふうに続きがちです。「彼は私を一人にする」──→「なぜなら私を愛していないから」。

でも、ここで一度、立ち止まってみてください。

この見方は、はたして唯一のものでしょうか？　他の人だったら、全く違う考え方をする可能性はないでしょうか？　こんなふうに考えることはできませんか？

「彼は、私たちのために必死で働いている」⟶「家族の幸せを願っているから」⟶「自分のことは後回しにしている」

自分の考えを疑ってみることは、とても大切です。そうでなければ、心に浮かんだ批判や疑念が際限なく増殖してしまうからです。曇りのない目で、事実を見る努力が大事なのです。

2、批判の言葉を自分に向けてみる

批判している相手の名前を、自分の名前と置き換えてみます。するとこうなります。

「私はよく家を空ける」⟶「なぜなら彼を愛していないから」

どうですか？　あなたの考えは正しかったでしょうか？

他人に向けられると批判は毒になり、自分に向けられると薬になるのです。

作家のアナイス・ニンは言っています。

「私たちが見ているのは、物事それ自体ではない。そこには常に、自分のありようが投影されているのだ」

●現実を受け入れる

先ほどの例の続きです。あなたの夫は、いつも遅く帰ってきます。それは事実です。でも、一度試しにこれを次のように考えてみてください。つまり、事実を受け入れるのです。「彼の帰りが遅くても文句を言うのはやめよう。それにはきっとわけがあるはずだから」これは難しいことかもしれません。でも試してみる価値はあります。そうすれば、「もっと早く帰ってきてね」と、やさしく頼む気持ちになれるからです。これで決定権は彼にゆだねられることになり、あなたの気持ちは落ち着きます。

この理論を提唱している、心理学者のバイロン・ケイティは言っています。

「新しいものの見方をすることで、相手の気持ちがほぐれることはよくあることです。あなたの非難がやむと、彼もそれまで無意識のうちにしていた抵抗をやめて、もっと早く帰ってくるかもしれませんよ」

この方法は、子どもに対する場合も同じです。

思い出してください。子ども時代、「もっと勉強しなさい」などと人から叱《しか》られ、その通りにしましたか？　おそらくそうはしなかったでしょう。子どもの頃、心に残った人は批判した人ではないはずです。そうではなく、ありのままを受け入れてくれた人、自分の話に耳を傾けてくれた人だったのではないですか？

あなたも、そんな人になってください。

こう言われても、初めは無理なことに思えるかもしれません。

でもどうか、試してみてください。パートナーだけでなく、友達であれ同僚であれ、何らかの難しい関係に陥ったら、これを試してみる価値があります。そうしているうちに、いつの間にかトラブルが自然消滅していることに気がつくに違いありません。

シンプリファイのアイデア24
人生の締めくくりを考えよう

シンプルに生きるための方法は、ますますシリアスになってきました。ここまできたら、机の周りの整理やお金の心配ではなく、最終的な問題に取り組むことになります。

●尊厳死について

患者からなんの意思表示もない場合、医師は1分でも命を長く保つ義務があります——たとえそのために、もっと悲惨な状況に陥ったとしても。患者として指示を残しておくことをおすすめします。

●遺言について

多くの本で遺言を書くよう勧めていますが、そのためには、生前に関係者と話し合うことが大事です。さもないと余計な不和の原因を撒《ま》き散らしかねません。

このための一番簡単な解決法は、今すぐ分けてしまうことです。もし知人や親戚《しんせき》に残したいものがあるなら、なぜ死んだ後でなければならないのでしょうか？

「温かい気持ちで」それをあげてください。そうすればあなたは感謝され、贈られた人は、物だけでなく、もっとずっと価値あるものを受け取ります。つまり、あなたに対する思い出です。

●お葬式について

こんなことを言うと、ぞっとするかもしれませんが、最後まで精神的にはっきりした状態でいられる保証はありません。ですから、自分の人生をどう締めくくるか、そのやり方について考えておくことは意味があるのです。

残された人たちは、愛する人を喪《うしな》ったショックを受けながらも、いろいろなことを決めなければなりません。どのようにしたいか自分の希望を書き記しておくことは、遺族にとって大変役に立つのです。

第6章
パートナー
（アイデア25～29）

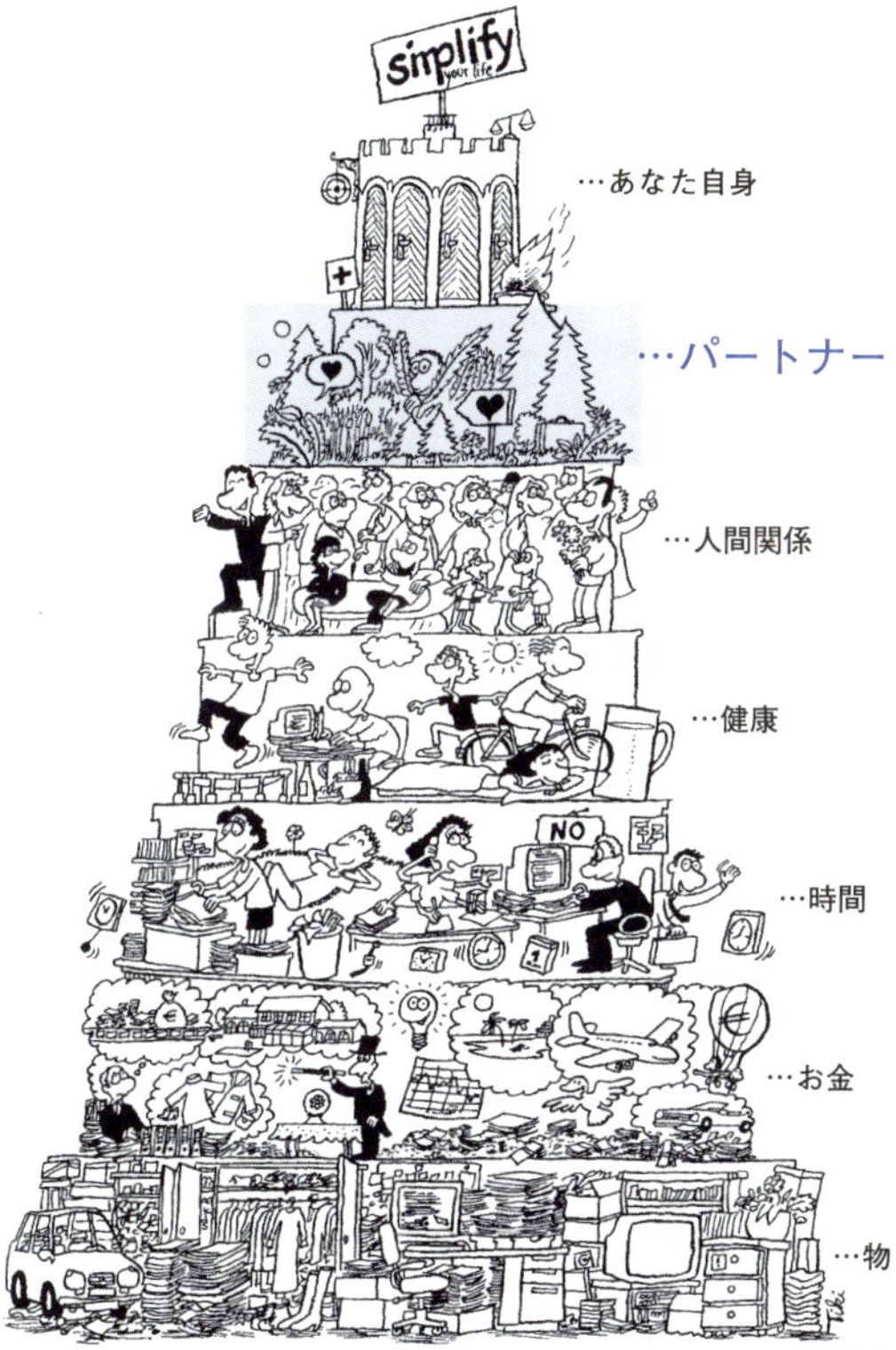

関係を見つめ直し、
並んで歩くのではなく、ともに歩いていこう

夫や妻、恋人——彼らは他人ではなく、あなたという人間の一部です。お互いをよく知り、相手を大切にし、一緒に成長していくつもりで接しましょう。

シンプリファイのアイデア25

パートナーとの関係を深めよう

現代では、夫婦や恋人たちの関係は決して良い状態とは言えません。精神分析医のミヒャエル・L・メーラーは言っています。「カップルは死んだ」。

離婚は増える一方ですし、その時々の「同居人」と暮らす人も多くなっています。

カップルがうまくいかなくなる原因は、当事者が考えているほど個人的なものではありません。これには、伝統的な夫と妻の役割が、根本的に変わったことも大きくかかわっています。

キャリアや余暇、経済的な自立、満ち足りたセックスをはじめ、一生恋をしていたい、すばらしい子どもも欲しい……現代ほど過大な要求がされたことはありません。以前は、一族（大勢）の努力のうえに成り立っていたものを、今日では核家族が独力で手に入れなければならないのですから。

それに対する効果的な解決法は（陳腐に聞こえるかもしれませんが）、じっくり話し合うことです。それも、お互いに自分自身について。

けれどそれには訓練が必要です。知り合ったばかりの頃は、どのカップルも存分に話し合っていたに違いありませんが、年月とともに、話し合うことが少なくなるからです。

長い間一緒なんだから、話さなくてもわかっている。それがトラブルの最大の原因です。ただし、話し合いをするときに、守るべきいくつかのルールがあります。

●パートナーとの対話の四つのルール

1、決まった時間で

1週間に一度、90分。だれにも邪魔されず「二人きり」で話すこと。

2、決まった状態で

向かい合って座り、お互いに顔を見ながら話します。電話、パソコン、BGM、テレビなどはすべて消して。

3、決まった順番で

これには時計が必要です。15分間片方が話したら、次の15分は相手が話します。聞くほうは、質問してはいけません、相づちもいけません。

4、決まったテーマで

それぞれが、今一番心に引っかかっていることについて話します。「自画像を描く」と言ってもいいでしょう。

相手について話すときは（もちろんこれはOKです）、評価を下すのではなく、相手を見ながら自分の感じたことを伝えましょう。これがけんかとの違いです。けんか

の場合は、相手に対して、「あなたはこうなんだ！」と、自分の意見を押しつけようとするからです。

●対話がもたらす五つの効果

メーラーによれば、どのカップルも、自分の人生と、カップルとしての人生の二つを生きているのだそうです。

それぞれが相手の人生について知れば、二人の関係は、一層豊かなものになります。けれども、お互いに自分の人生のほうが優れていると言い張れば、二人の関係は終わりに向かいます。

したがって、対話の一番重要な前提は、それぞれの人生に同じ価値を置くことにあります。

1、「私はあなたではない」ということがわかる

あなたは、自分が思っているより、ずっと相手を知らなかったことに気がつくでしょう。

二人の関係がしばらく続くと、とかく私たちは「あなたはこうだ！」と決めつけ、自己主張したがります。メーラーはこれを、「相手を植民地化する」と表現しています。内心、お互いに自分のほうが優れていると思い込んでいるのです。でも、率直に話し合うことができれば、これはなくなります。

2、顔は二つでも、私たちは一つに結ばれている

自分たちを、独立した二つの人格としてではなく、ともに成長してきた一対ととらえることを覚えましょう。これが愛の本質です。相手の最も嫌な性格さえ、つきつめれば、あなた方二人のものなのです。

例えば、パートナーがあることを恥じて、あなたに秘密にしていたとします。そのとき、必ずしもそれは相手のせいだけとは言えません。なぜなら、もしかすると他人になら話せることかもしれないからです。

二人の関係の、この基本的な真実を深く理解したなら、あなたはもう、相手のせいにばかりすることはなくなります。

３、一緒に話すことで、より人間的に成長できる

自分自身を変えることはできるかもしれませんが、相手を変えることはできません。また、話し合うことで相手だけでなく、自分自身をも受け入れることができるようになります。

カップルの犯しがちな誤りのうち、最も大きなものは、自信や満足感、人生の喜びなど、本来は自分で手に入れるべきものを、相手から得ようとすることです。

４、お互いが理解でき、信頼度が増す

漠然とした感情ではなく、具体的な場面を記憶し、それを相手に伝えましょう。例えば、「今朝《けさ》、きみはすてきだった」という代わりに「今朝、きみが自転車に乗っているのを見た。髪がキラキラ光っていた。すてきだったよ」というふうに。お互いがより深く理解でき、信頼度が増していきます。

５、衝動的なものに左右されなくなる

感情は、自分の無意識のなせる業《わざ》だということがわかります。それは、自分に襲いかかってくるものでは

なく、また、他から仕向けられるものでもないのです。じっくり話し合うことで、自分の感情をわかりやすくはっきりと表現し、衝動的なものに左右されずにうまく折り合いをつけられるようになるでしょう。

●話してもうまくいかなかったら

初めはうまくいかないかもしれませんが、あきらめないでください。これは家庭だけでなく、仕事のパートナーの場合も同じです。いずれにせよ、少なくとも10回はやってみましょう。

●対話がもたらすもの

心身医学の研究によって、人間の免疫システムは、基本的にカップルの関係がうまくいっているかどうかによって決定されることが証明されました。

もちろん、これは私たちの幸福感にも大きくかかわっています。さらに、幸せなカップルは、その子どもにもよい影響を与えます。将来、子どもたちは、無意識のうちに、両親の関係をまねるようになるからです。

対話によって改善されたカップルのコミュニケーションは、ひいては性生活も改善します。すばらしいセックスには、まだよく相手を知らないことからくる新鮮さが必要だというのは誤りです（これは、浮気をするときの格好な言い訳にすぎません）。お互いに理解し合い、信頼し合っていることが、豊かな性生活の最高のエキスなのです。

シンプリファイのアイデア26

冷静に話し合おう

●1日2分では少なすぎる

2000年に、ドイツで7万6000人を対象に行われた調査によれば、カップルが自分について話す時間は平均2分。メディアはこれを、カップルが1日に2分間しか話さないかのように書きたてましたが、もちろん、そういう意味ではありません。

これは、あくまでも自分自身について、あるいは二人の関係などに関する重要な話のことを言っているのです。なぜ、これほど多くのカップルがうまくいかなくなるのでしょうか。

カップルに関する本を数多く出版している、心理学者のジョン・グレイは、男女の会話の仕方が、根本的に違っているのが原因の一つだと言っています。

グレイは、自分の考えを、次のようなユーモラスな話にまとめました。

その昔、女性は金星に住んでいて、常に世間のことや、人との調和に心を砕いていました。人間関係は、女性にとって、仕事や技術より重要なことでした。

一方、男性は火星に住んでおり、何かを創り出したり、成し遂げたりすることを大事にしていました。そしてある目的に到達すること、とりわけそれを一人でやり遂げたときに誇りを感じました。

ある日、火星と金星の住民が出会い、ひと目で相手が自分にないものを持っていることに気づきました。そこで男性たちは宇宙船を作り、金星から女性たちを乗せてこの地球にやって来て一緒に住むようになったというのです。

●「なんでも屋」対「コーヒーフリーク」

グレイの言うところは単純です。

男性と女性は、基本的に問題の解決の仕方が違っている。男性にとって「問題」は解決すべきもの、それも、「なんでも屋」として、できるだけ一人で解決するものなのに対し、女性にとってそれは、会話のきっかけだというのです。

女性たちは、自分が困っていることを話すことによって、他人とコンタクトを取ろうとしますが、男性はこういうときには引っ込んでしまいます。

このような違いが、それぞれのカップルに数しれない誤解を生み、時として二人の関係を終わらせてしまうこともあるのです。

●相手の言うことを理解する

ある夜、妻は自分の心配事や、やらなければならないことがたくさんあることを夫に話しました。

すると夫は、典型的な、けれども誤った反応(その問題や状況についての解説)をします。

「そのうちどれかを人に回すとか、締め切りをもう1日延ばしてもらうことはできないのかい?」

夫は、妻の訴えが、実は会話の要求だということを理解できません。

妻はこういう気持ちになります……「あなたはいつも事実だけを見て、けっして私を見ないのね」。

★アドバイス

妻のそばに座って、話に耳を傾け、「そうだね」と頷《うなず》きましょう。

これで彼女は、山のような仕事を片づけることができます。彼女は自分の気持ちをわかってもらいたかっただけなのですから。


こんなケースも。夫が帰宅し、あまりの仕事の多さに憂鬱《ゆううつ》になっています。

それに対して妻は、典型的な、けれども間違った反応――夫に助言や建設的な批判をします。

「そんなに一人で背負い込むことはないわ。もっとセーブしなくちゃ」

夫はこういう気持ちになります……「君は僕を信頼していないんだね」。

★アドバイス

「あなたのことですもの、きっとできるわよ」と言いましょう。これで、彼は心安らかに仕事をすることができます。

●火星人と金星人

グレイの基本的な認識は、使徒パウロの、次の言葉にも見られます。

「夫たちよ、妻を愛しなさい。妻たちよ、夫を敬いなさい」

この点についてグレイは、これまでと違った、より正確な表現をしています。彼によれば、夫たちは、妻のしていることに尊敬を払っており、妻の悪口を言う夫はめったにいない。けれども夫たちは、愛情ややさしさをストレートに示すのは得手ではなく、家族のために金を稼ぐといった、間接的な愛情表現のほうが得意だというのです。

いっぽう妻たちは、(特に夫からの)やさしさや理解を求めています。夫がもっぱら外で活動すると、彼女たちは愛が不足しているからだと考えます。女性たちは、愛情を表現するとか感情を示すことが大事だと考え、働いてお金を稼ぐことは、その次だと思っています。したがって、それにあまり大きな価値を置きません。それに対して夫のほうは(特に妻から)それを評価してもらいたがります。「あなたはやり手ね」という言葉を聞きたいのです。

妻の善意の助言を、彼らは自分に向けられたひそかな非難だと受け取ります。

金星人と火星人の話は、にっちもさっちもいかなくなったカップルがやり直すのに役立ちます。その際、これを「今、きみはまた典型的な金星人の反応をしたね!」のような非難としてではなく、「今のは火星人の言い方だった、まずい!」のような自己分析に使ってください。

このテーマを、次のあなたたちの対話のテーマにしてください。それから、他のカップルとも話し合ってみましょう。

これは、パートナーシップに関するコミュニケーションとしてとても有効な方法です。

●きちんと頼もう

自分の望みや要求が受け入れられないことから、結婚生活や恋人との暮らしの中で、欲求不満を感じている人は少なくありません。けれども、あなたは、相手に対してきちんと頼んだのでしょうか？　言わなくてもわかっているはず、などと思ってはいませんでしたか？

もちろん、口に出したのに、断固無視されたと感じた場合もあるでしょう。

これは夫婦、家族、友人、会社の人たちなど、あらゆる関係に起こり得ます。でも幸いにして、これを解決するためのいくつかの方法があります。

次に紹介するのは、イギリスのセラピスト、リナッタ・パリーズが20年の経験をもとに編み出したものです。ただし、これはけっして相手を操るためのものではありません。お互いが理解するための方法です。

1、あなたには頼む権利がある

これが一番大事なことです。だれもが、自分の望みを口に出す権利があります。それは何でもかまいません。子どもの面倒を見てもらうことや、食事、お金、やさしさ……。あなたは、相手に対していつでも頼んでかまわないのです。

2、「イエス」と「ノー」、両方の心づもりを

「イエス」にしろ「ノー」にしろ、相手が、自由に選択できるような頼み方をしましょう。本来、人間は自由を愛する動物です。そこに隠されたひそかな脅し（「もし、私のことを本当に愛しているなら」）や、嫌み（「きみが断ることぐらい初めからわかっているけどね」）がなければ、あなたが思っている以上に相手から「イエス」を受け取れるものです。

3、返事が「ノー」でも受け入れる

頼みを断られたからといって、不愉快な態度をとってはいけません。そのようなことをすると、頼みが要求になってしまいます。要求は喜ばれませんし、場合によっては相手に「敵愾心《てきがいしん》」を呼び起こします。「ノー」を言われて怒ると、それによってあなたは、さらなる「ノー」を誘発します。そうではなく、とりあえずそれを受け入れれば、いつか「イエス」を言ってもらえる道は残ります。

4、自分の望みを持ち続ける

たとえ断られたとしても、もしあなたが本当にそれを望んでいるのなら、望みを捨ててはいけません。相手から説得されないように。

5、相手に信頼を持つ

たとえ今回断られても、いつかそれが「イエス」になるかもしれません。相手が断ったとしても、それは、あなたに対して悪意があるわけではないのです。ひょっとすると、本当の理由や必要性を言えば、「イエス」と言ってくれるかもしれません。やさしく辛抱強く説明してください。

6、返事を聞いたときの自分の気持ちを隠さない

相手の返事に対する喜びや失望を、素直に表しましょう。

7、常にバランス良くギブ＆テイク

パートナーの望みを何でも読み取って叶《かな》えてあげれば、相手も同じようにしてくれると思っているとしたら、大間違いです。

こうしてください。お互いに望みをきちんと口に出し、それを交互に叶えるのです。「たぶんあの人はこうしてほしいのだろう」と推測するのではなく。

8、ぶつぶつ文句を言わない

相手がうんざりし、降参するまでぶつぶつ文句を言ってはいけません。もちろん、その結果、望みが叶うこともたまにはあるかもしれません。けれどもそれは、大きな代償を伴います。相手はしぶしぶ、あるいは内心の腹立ちを抑えながらやるかもしれないのですから。

9、感謝の気持ちを表す

受け入れてもらえたら、素直に喜び、お礼を言いましょう。けっして当然だとか、自分の権利だという顔をしないように。あなたの感激と感謝の気持ちをはっきりと示せば示すほど、相手は、今後もあなたの希望に沿うようにしてくれるでしょう。

10、奇跡を期待しない

相手が、あなたの望みを察知しないからといって腹を立ててはいけません。彼（あるいは彼女）はあなたではないのです。相手も、あなたに対して同じように考えているということを忘れないように。

家族であっても、自分が望んでいることを、相手が全面的に共感を持ってやってくれるなどと夢見てはいけません。それより、はっきり口に出して頼み、受け入れてくれたら感謝する術《すべ》を身につけてください。

シンプリファイのアイデア27
仕事と家庭を両立させよう

「恋愛や幸せな結婚生活の最大の敵は仕事」。これは言い古された言葉です。

たしかに、仕事で成功することと、幸せな家庭を築くことはなかなか両立しないように見えます。

けれども全く違う意見もあるのです。

企業コンサルタントのギュンター・グロースは長年にわたって、仕事と家庭の問題に取り組んだ結果、とても興味深い結論に達しました。それによると、成功する人たちは仕事を通して、恋人や結婚生活にも応用できるさまざまな能力を身につけているというのです。簡単に言うと、仕事ができる人間は、家庭もうまくいく可能性が大きいということです。

仕事を達成するためには、時間やエネルギー、なにかに感激する能力、決断力が必要になります。これらはそのまま一緒に暮らす相手にとっても大切なものです。次の点に注意すれば、仕事と家庭の両立は決して無理なことではありません。

●計画を改革する

仕事での能力を私生活に生かすうえで、大事なポイントになるのは、限られた時間の中で計画を立てなければならないときに、新しい考えを取り入れることです。

計画を立てるときには、パートナーに協力してもらいましょう。あなたの長所も短所も一番よく知っているのはパートナーなのですから。ただ、そのときに、意見を求められた側が気をつけなければいけないのは、感情的なコメントを付け加えないようにすることです。「また、あのくだらない見本市に行くつもり？」。

そうではなく、二人にとって生産的なコメントをしましょう。

「これは、将来も役に立つ仕事だろうか？」

「私たち二人にとって、得るものがあるだろうか？」

というような。

●「やさしさ貯金」

カップルとの関係においても、企業と似たようなことが言えます。

まず、長期にわたって経済的に生き延びなければなりません。投資も必要ですし、預貯金もしなければなりません。ただ、企業の場合と違い、カップルの資本は愛情です。これを賢く、大切に扱いましょう。ですから、仕事で収益を得るために使う時間やエネルギーを、家庭では愛情を得るために使うのです。

さらに必要なのは、ロマンチックなムードとファンタジーです。

パートナーに、「愛している」と口に出して言ってください。たとえわかっていても、何度でも喜んで聞いてくれるでしょう。

シンプリファイのアイデア28

性にとらわれないこと

「やさしさ貯金」の貯金箱には、ロマンチックな瞬間、やさしい言葉、花束、ちょっとした贈り物が詰まっています。けれども、もちろん肉体的な愛情も大事です。社会的に成功した人は、なかなかこれが貯まらないようです。でも次のことを心がけてください。何らかの役に立つはずです。

1、アンケートに惑わされない

「セックスの回数はどれくらいであるべきか」。数あるアンケートの中で、およそこれほどいいかげんなことがまかり通っているものもありません。こんなものに惑わされることはありません。

あなたにとって重要なのは、あなた自身とパートナーの要求なのですから。

2、専門家を訪ねる

もし困ったことがあるなら、専門家を訪ねましょう。現代の性的なトラブルは、精神的なものより、さまざまな薬の副作用やホルモンのアンバランスによる場合が多いからです。

3、甘いひとときを

性感帯なる言葉は忘れ、5分間、二人でお互いの身体を発見する旅に出ましょう。お互いによく知っているつもりでも、長い年月の間に、感覚が変わっているかもしれません。それなのに相手が口に出さないだけかもしれないからです。

4、「セックスは自発的なもの」は偏見

ドキドキし、ちょっと不安だった初めてのデートを思い出してください。平凡な日常に、「甘いひととき」を自ら作り出し、新鮮な気分を取り戻すよう心がけましょう。

5、エゴイストになる

セックスは、双方の了解がなければならないという思い込みを捨てましょう。

セックスカウンセラーのツィルバーゲルトによると、よくけんかするカップルより、仲の良いカップルのほうに、性生活がなおざりになる悩みが多いといいます。けれども、だからといって、けんかすればいいというものでないのはもちろんです。ただ、相手の要求だけでなく、自分の欲求も同じように考えたときに、セックスが一番うまくいくのは確かです。男女とも、相手から求められることに喜びを見いだすものだからです。

シンプリファイのアイデア29

一緒に老後を設計しよう

人生に対して、たえず上昇するイメージを持っている人は大勢います。そう考えていたら、年をとることが、失望や危機に映るのは当然です。あなたの個人的な能力は次第に衰えていき、行動半径は限られてくるからです。人生はシンプルになり、世界は小さくなるのです。

引退したときに、ショックに陥らないためにも、早めに老後を考えておく必要があります、よりよい老後を過ごすため、あなたのパートナーと話し合ってください。

●老後についての健全でない夢

老年になっても、家族で過ごしていた時代と同じ生活水準で暮らしている人は少なくありません（大きな家、大きな車、大きな期待など）。医師のハイディ・シュラーは、それによって私たちは、老年の自分に過大な要求をしていると言います。なぜなら人生の重点を物質的なものに置き、その結果、人間的に成熟するためのゆとりが少なすぎるからです。現代医学のおかげで、私たちは、年をとってからも、健康で元気に過ごせる可能性が大きく広がってきました。

老後の生活設計では、「シンプリファイの原則」がことに重要です。若い頃を思い出してください。新入社員や学生時代には、質素な生活を楽しんでいたのではないでしょうか。ぜひその頃の暮らしを、老後の生活の手本にしてください。満足して暮らしている年配の人を参考にしてみるのもいいでしょう。

老後を考えるときがきたら、次のようなことを頭に置いてください。

①70歳をめどに小さな家に移る
②庭の手入れや家事の手伝いを人に頼む
③老後も、いろいろなことに積極的に取り組む（やりたいと思っていても時間がなくてできなかったことを心おきなくやる）
④今のうちに（あまり年をとってからではなく）、○○と和解しておく
⑤遺産争いにならないよう、遺言を書いておく
⑥無駄な延命治療を避けるため、自分たちの希望を子どもたちに伝え、書き残しておく

第７章

あなた自身

（アイデア30〜33）

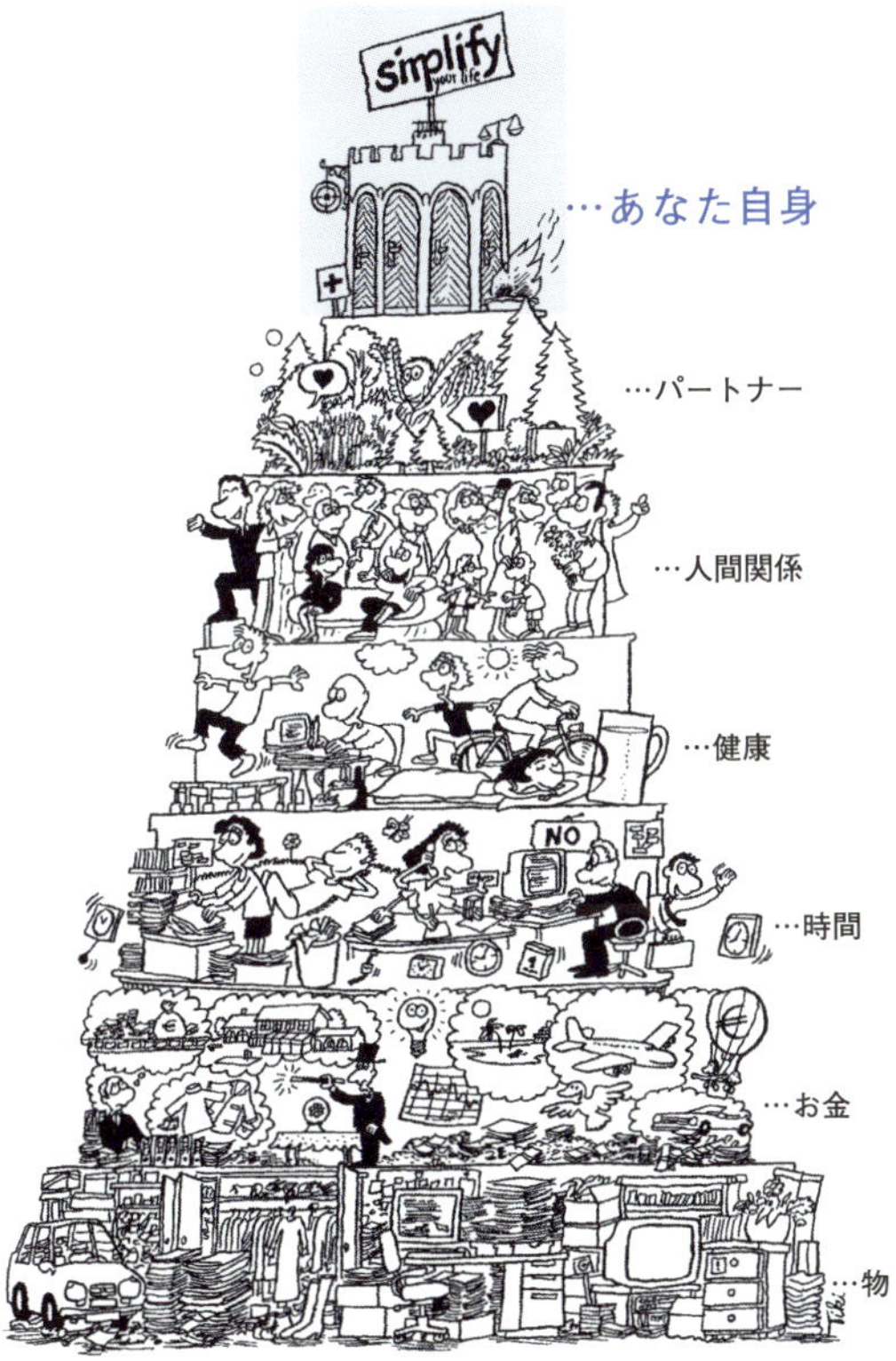

自分自身をもっとよく知り
人生の目的に近づこう

人生のピラミッドの頂上は、あなた――これまでの人生であなたが築いてきた、あなたという人そのものなのです。

シンプリファイのアイデア30

人生の目的を見つけよう

この世にただ生まれてきただけの人など、だれ一人いません。どの人の人生にも、目的があり、意義があります。ところが私たちは、日々目の前の雑多なことに気をとられ、ともするとそれを忘れがちです。

「人生をシンプルにする《シンプリファイ・ユア・ライフ》」とは、このテーマにふたたび、目を向けることなのです。

好きで得意なことが、あなたの人生の方向を決めます。もしあなたが生まれつき華奢《きゃしゃ》で、あまり丈夫でなかったとしたら、子どもの頃は、他の子とは別の能力で対抗しなければならなかったかもしれません。その結果、ユーモアが身についたり、面倒な仕事に取り組めるようになったり、芸術家になったりするのです。あなたの才能や欠点は、まぎれもないあなたの個性なのです。

だれにでも夢があります。けれども多くの人は、しだいにその夢を失っていきます。夢など実現しないと思い込み、そして、あきらめてしまいます。「シンプリファイへの道」の最終段階では、失った夢をふたたび見いだし、それによって自分の人生の目的を見つけることがテーマです。

とはいえ、だれもあなたに人生の目的を与えることはできません。両親も、会社も、パートナーも、子どもも。あなたはそれを、自分で見いださなければならないのです。もちろん、両親やパートナーの夢と、たまたま一致することはあるかもしれませんが。

もし、あなたの心の中に何も浮かばないようなら、もう一度、自分を見つめ直す必要があります。

シンプリファイのアイデア31

あなたの長所を伸ばそう

成功するためには、苦手なことを克服しなければならないと考える人は少なくありません。

けれどもこれは、二つの理由から意味がありません。

1、長所をおろそかにしたら、並みになるのがせいぜい

2、苦手なものに取り組んでもやる気はでない

どの人にも、特に得意なものがあります。能力と経験、そしてノウハウは、ちょうど指紋のようにその人独自のものです。意識していようといまいと、それがその人の進む方向を決めていきます。

長所が際立っていればいるほど、短所もまた大きいものです。とはいえ、私たちはこれまで、自分たちが苦手とすること、あるいはやりたくないことに取り組むよう、努めてきました。

次にお話しする二つの方法は、あなたの長所をはっきり自覚させ、私生活でも仕事でも、あなたにとって鍵《かぎ》となるものを見つけさせてくれます。

1、自分の得意なことを10書き出す

あなたが自分で得意だと思うことを書き出しましょう。

10書き出すまではやめないでください。そこには、自分の考えだけでなく人から言われたことも入れます。

それから、仕事と私生活の両方の長所を混ぜるように。

次に、特に得意だと思うことに、三つ印をつけてください。これがあなたの鍵となります。もし、見つけにくいようなら、逆のやり方をしてみます。そんなに重要でないと思うものを（　）に入れていってください。まもなく、何が大事かわかってくるでしょう。

2、自分がやりたいと思うことを五つ書き出す

今度は、仕事でも私生活でも、あなたがやりたいと思い、かつうまくやれると思うことを、五つ書き出します。

その中で今、一番大事だと思うものを一つだけチェックしてください。そのとき、成功に近づくにはどれが一番早いだろうかと考えながら選んでください。

最後に、それらの項目の後に、これをするには何カ月かかるかを記します。さらに、それを半年間に区切り、一番やりたいものはどれか考えてみます。このとき、できるだけ仕事と私生活を分けないでください。

シンプリファイのアイデア32
「良心」を楽にしてあげよう

罪の意識と良心は、人間の心の発展の中で最も重要なものです。

これは、平和に共同生活をするうえでなくてはならないものです。良心のない人はいくらでもいますが、ここで取り上げるのは、その反対に、たえず不必要な罪悪感に苛《さいな》まれている人々のことです。そういう人たちのために、いくつかのアドバイスを。

●自分の中にいる小さな裁判官を確認する

極端に罪の意識に苦しんでいる人の肩には、いつも小さな裁判官が数人のっています。その人が何かするたびに彼らは、正しいとか間違っているとか言うのです。その声は両親のこともありますし、親戚《しんせき》や兄弟のことも、また他人のこともあります。いずれにしても、それは子ども時代や青春時代にあなたを批判した人たちの声です。それらの裁判官を眺め、どの人の声か確かめてください。そして言ってやりましょう、「私はもう、自分のことは自分で決められる」と。

なかには、この裁判官を抱えているのに、自分を一人前だと思っている人もいます。けれども、一人前になるということは、他人の意見に左右されないことに他なりません。

●裁判官を休ませる

罪悪感を持っている人は、たとえ、へばるまでがんばったとしても（肉体的な意味でも精神的な意味でも）、後ろめたさを捨てきることができません。でも、そうなる前にやめてしまいましょう。そして、「私はベストを尽くしたのだから」と自分に言い聞かせます。自分の中の小さな裁判官をベッドに寝かせ、言ってやりましょう。「これから3時間、たとえ私がへとへとになるまで働いたとしても、あなたたちはきっと不満だろうね」

●悩みをフランクに打ち明ける

罪の意識を持っている人は、職場では家庭のトラブルを、家庭では職場のストレスを話さない傾向があります。なぜなら、家にいるときには、プライベートなことにエネルギーを使わず仕事に精を出せ、という上司の声がし、職場にいるときには、仕事が終わったらすぐに家に帰りなさい、とささやくパートナーの声がするからです。

そのような状況から抜け出しましょう。悩みをフランクに打ち明けるのです。それは、関係者全員にとって非常な救いになります。ただし、単なる陰口になったり、過度に気持ちをさらけ出すことのないよう気をつけてください。

●自分の影の部分を受け入れる

罪の意識を持っている人はいつも、自分がしたことが、だれかにとってマイナスになってはいけないと感じています。そして、そのためにいつも疲れているのです。でも、どんなよい行為をしても、物事には必然的に影の部分があるものです。それはどうすることもできません。

●信頼できる人を見つける

だれか思いの丈を話すことができる人、あなたの小さな裁判官を紹介できる人を探しましょう。それは友達でもいいし、セラピストでもいいのです。ただ大事なことは、その人がじっとあなたの話を聞くだけで、途中でアドバイスをしないということがわかっていることです。

●二つ先の世代のことまで考える

もしあなたの孫が、あなたと全く同じ罪の意識を持ち、あなたと同じ間違いをしたら、と考えてみてください。これは空論ではなく、残念ながら証明された事実です。つまり克服されなかった罪の意識は、世代を超えて受け継がれるのです。彼らを守ってやれるかどうかは、あなたにかかっています。もし自分のためにはする気になれないのなら、後の世代のためだと思って努力してください。

シンプリファイのアイデア33
あなた自身をよく知ろう

●「エニアグラム」――「私はだれ?」に対する一つの答え

私たちは、いつも繰り返し同じ問題で悩み、同じ間違いをし、同じところでつまずきます。もし、常に自分が抱える問題を探り当てることができたとしたら、それに対する最高の対策を講ずることができるはずです。

まさに、これを可能にするのが「エニアグラム」です(「エニア」とは、ギリシャ語で「9」を意味します)。このエニアグラムの考え方は、2000年以上も前のもので、現在までさまざまな形で伝承され、今なおアメリカを中心に研究が続けられています(関連書籍も多数出版されています)。

エニアグラムでは、人間の独特の行動パターンが九つに分類されており、それには、次の三つの考え方が基本になっています。

1、人生のテーマを持たない人はいない

だれもが、充実した幸せな人生に対する自分なりのイメージを持っており、それに向けて努力し、能力を伸ばそうとしています。

個々の人間の抱く人生のテーマは、基本的には大きく九つに分類できるのです。それがエニアグラムのいう九つの性格です。

2、完璧な人などいない

すでに言ったように、短所にひるまずに長所を伸ばすことが重要なのです。その際、自分のエニアグラムを知っていると役に立ちます。なぜなら、あなたの最大の欠点の中にこそ、最大の長所が隠れているという驚くべき発見をするからです。

あなたの人生のテーマは、いわばコインの裏表のようなもので、プラスの面とマイナスの面が表裏一体になっています。このどちらが欠けてもうまくいきません。

エニアグラムは、プラスの面をできるだけ伸ばし、マイナスの面は、できるだけ影響がないようにする方法を示してくれます。別の人間になろうなどと思わないことです。また、だれもそんなことをあなたに求めてはいません。そしてまた、欠点や落ち度のない人間になることも。

3、九つのタイプには、それぞれ同じような価値がある

もしあなたが、本来の自分とは別の自分になろうとせず、自分の長所を伸ばすことができれば、あなたは幸せで充実した人生を送ることができるでしょう。これは特に、あなたのパートナーとの関係を楽にしてくれます。意識しているかどうかは別として、だれもが、多かれ少なかれ、自分のパートナーに自分と同じように考え、感じてほしいと願っているからです。

エニアグラムは、二人の人間が、全く違った現実で生きていることを、あますところなく明らかにしてくれます。

●エニアグラムのテスト

テストのやり方

あまり深く考えずに、気楽に答えてください。そのとき、私生活に重点を置きます。もし仕事を持っていたら、それとは別に、仕事をしている自分を頭に置いて、もう一度テストをしてください。そうすれば、職業人としてのあなたのタイプについても知ることができます。では、始めましょう。

次の質問の（　）に、質問が完全に当たっていれば2を、それなりに当たっていれば1を、全く当たっていなければ0を書き入れてください。

テスト

【a】

1（　）多方面に才能があり、いくつかの事柄を同時進行させることが多い
2（　）次から次に、新しいアイデアを実現するのは素晴らしいと思う
3（　）人生を楽しんでいるが、とかく「浪費しすぎる」
4（　）他人のために、大きな犠牲を払うことができる
5（　）すぐに感激し、そこに何か良いものを見いだせる

6（　）自発的で機知があり、楽天的な人が好きだ
7（　）素晴らしい未来についての計画を練るのが好きだが、それを実現するのは、限界があると感じている
8（　）自由や気ままなことに憧《あこが》れている
9（　）義務でする仕事や、ルーチンワークは退屈だ
10（　）ネガティブなことは自分を意気消沈させるので、物事のポジティブな面を強調し、他の人の気持ちも引き立てるようにしている

【b】

1（　）意志が強く、辛抱強い
2（　）リーダーシップを執るために、権力と影響力を行使する準備をしている
3（　）率直で正直、相手がどう思おうと関係なく、歯に衣《きぬ》を着せずにものを言う
4（　）情熱的で官能的、血気盛んだ
5（　）ほら吹きや、不正な人、不正直な人の仮面をはぐのが好きだ
6（　）必ずしも、他人に対して繊細な感情を持っているわけではない
7（　）相手を思いやっているために、自分を抑え、不完全燃焼している感じをしばしば抱く
8（　）弱者に対して寛大に、いつでも力になるように尽力している
9（　）自分に納得がいかなければ、境界も越えるし、規則だって破る
10（　）自分の傷つきやすい愛すべき面は、完全に信頼している人にしか見せない

【c】

1（　）お人よしで、人を受け入れ、愛想がいい
2（　）時々やる気をなくし、宿命論的になり、あきらめてしまう
3（　）休息やリラックスするための時間がたくさん必要だ
4（　）物事に取りかかるのが遅く、その代わり、どうでもいいことにいろいろかかわっている
5（　）自然や他の人々と一つになり、しっかり結びついていると感じることがよくある
6（　）したいことより、したくないことを口に出すほうが楽だ
7（　）いろいろな人の立場になって考えることができ、あらゆる面が理解できる
8（　）問題が起きると、直接対決するより、むしろじっとしている
9（　）対立や不和は嫌だ。静かにしているのが一番の望みだ
10（　）せき立てられたり、プレッシャーをかけられたりすると、反抗的になり、何もしなくなる

【d】

1（　）人ががんばらなかったり、やるべきことに真剣に取り組まなかったりすると腹が立つ
2（　）常に向上したいと努力している。他人の欠点を直すのも好きだ
3（　）あまり重要でない些細《ささい》なことにおいても注意深く、正確だ
4（　）きちんとしていて理性的、節約家で時間に正確だ
5（　）たえず、自分の中の批判者にコントロールされているような感じを持っている

6（　）嫌なことも、ぐっと我慢することがよくあり、内心では緊張している
7（　）常に高い水準を課し、自分にとって重要な価値に従って生きている
8（　）何が正しく、何が間違っているか、本能的にわかる
9（　）自分の言うことが正しいと認められないと、腹を立て、かっとなる
10（　）楽しみ、遊びなどを仕事のためにあきらめている

【e】

1（　）人とのつき合いは重要で、そのために愛情や時間、お金をつぎ込んでいる
2（　）人に何かを頼んだり、人の頼みを断ったりするのは苦手だ
3（　）だれかが苦しんでいるのを見るのはつらい
4（　）有力者とつき合うのが好きだ
5（　）一人でいるより、人と一緒のほうがいい
6（　）他人が困っていると、自分のことのように感じる
7（　）喜んで手段を尽くして、人を助けることができる
8（　）自分の家では、人にくつろいでもらいたい
9（　）他人のせいで疲れていると感じて、時々身体の具合が悪くなる
10（　）人と親しくつき合わないと悲しくなり、自分をのけ者だとか、つまらない人間だと感じる

【f】

1（　）押しの強さや業績、能率を重要視している
2（　）人と競争するとやる気が出る
3（　）テキパキしていてフレキシブル。弁舌さわやかでチャーミングだ
4（　）はったりをかけ、真実をいくらか自分流に調整することがある
5（　）自分に対して自信があり、それが他の人にも気づかれてしまう
6（　）状況に合わせてものを考えることができ、自分のイメージをそれに合わせることができる
7（　）成功を愛し、失敗は思い出したくない
8（　）社会的に地位のある人とのつき合いを大切にする
9（　）感情について話すより、仕事について話すほうが好きだ
10（　）自分で決めたことは、実際にやり遂げる

【g】

1（　）人から、近寄りにくいとか気まぐれだとか、周りから浮いていると言われることがある
2（　）他人から、低い評価を受けると深く傷つく
3（　）繊細で感じやすく、自分の感情を頼りにすることが多い
4（　）文学や芸術で、自己表現するのが好きだ
5（　）人生の、メランコリック（憂鬱《ゆううつ》）で落ち込んだ局面を知っている
6（　）自分の部屋や服、仕事が人と違うことに価値を置いている

7（　）他人から、独特で、特別な人だと思われたい
8（　）人が持っているものに憧《あこが》れることがよくある
9（　）人生において、濃密で特別な瞬間を求めている
10（　）人にわかってもらえず、自分をアウトサイダーだと感じることがある

【h】

1（　）一人でいるのが好きで、人とつき合わずに引きこもることがよくある
2（　）引っ込み思案で、自分のプライベートな領域に価値を置いている
3（　）人のために時間やお金を使ったり、手間をかけて親しくするのは気が進まない
4（　）自分の気持ちを抑えてしまい、それをうまく言葉にできない
5（　）物事をじっくり考えて、問題を解決する
6（　）ストレスや難局を、冷静な行動で切り抜けている
7（　）自分の領域をよく知っていてくれる人々と、一緒に行動するのが好きだ
8（　）イニシアチブは、人に任せる
9（　）背後に隠された状況を、把握しようとする
10（　）たくさんのことを知っており、本を読んだり観察したりすることによって、自分の知識を増やしている

【i】

1（　）心が温かく、人とのつき合いを大事にしている
2（　）何かを決心して守るためには、多くの時間がいる
3（　）矛盾に対する敏感なアンテナがあり、人の言動の背後にある隠れた動機を探り出せる
4（　）身近に迫った危険をはっきり見て取り、勇敢にかつ用意周到な行動を取ることができる
5（　）はっきりしたルールが好きで、どれに従えばいいかを知りたい
6（　）うまくいかないのではないかと、たえず自問することによって、自分で自分の成功を妨げている
7（　）家族や会社に対して、忠実かつ誠実に、公正な態度で接している
8（　）他人を、自分にとって、どの程度おそるべき存在かによって分けている
9（　）自分に対する不信にしばしば苦しみ、権威についても疑いを持つことがよくある
10（　）人より早く危険を嗅《か》ぎつける

（　）の中の数字の合計を、左の表に記入してください。その数の多いものが、あなたの基本タイプとなります。

エニアグラム点数表		
タイプ	あなたの点数	アルファベット
7		a
8		b
9		c
1		d
2		e
3		f
4		g
5		h
6		i

さてあなたは、これで自分のエニアグラムを読み取ることができました。あるタイプに点が多ければ多いほど、あなたはそのタイプである可能性が強いのです。

一番多い点をつけたのが、おそらくあなたのタイプのはずです。それを、次のようにして確かめることができます。

①あなたは、自分のタイプだと考えられる数字の両隣にも、ある程度の点を入れたはずです。（例：タイプ9が一番多かった人は、タイプ8とタイプ1にもかなりの点数がある）

②あなたは、左下の図の矢印で結ばれている他の二つのタイプにも、いくつか点を入れたはずです。（例：一番多いのがタイプ5だった場合、タイプ8とタイプ7にもいくつか点数がある）

③あなたのことをよく知っている人に、あなたについてどう思っているか、同じようにやってもらいましょう。他の人の評価は、あなたのタイプを決めるうえで非常に価値ある情報になり、興味深い会話のもとにもなります。

なお、図の矢印は、次のことを表しています。

・ストレスを受けているとき――矢印が進む方向のタイプの影響を受ける。

・気持ちが安定しているとき――向かってくる矢印の根もとのタイプの影響を受ける。

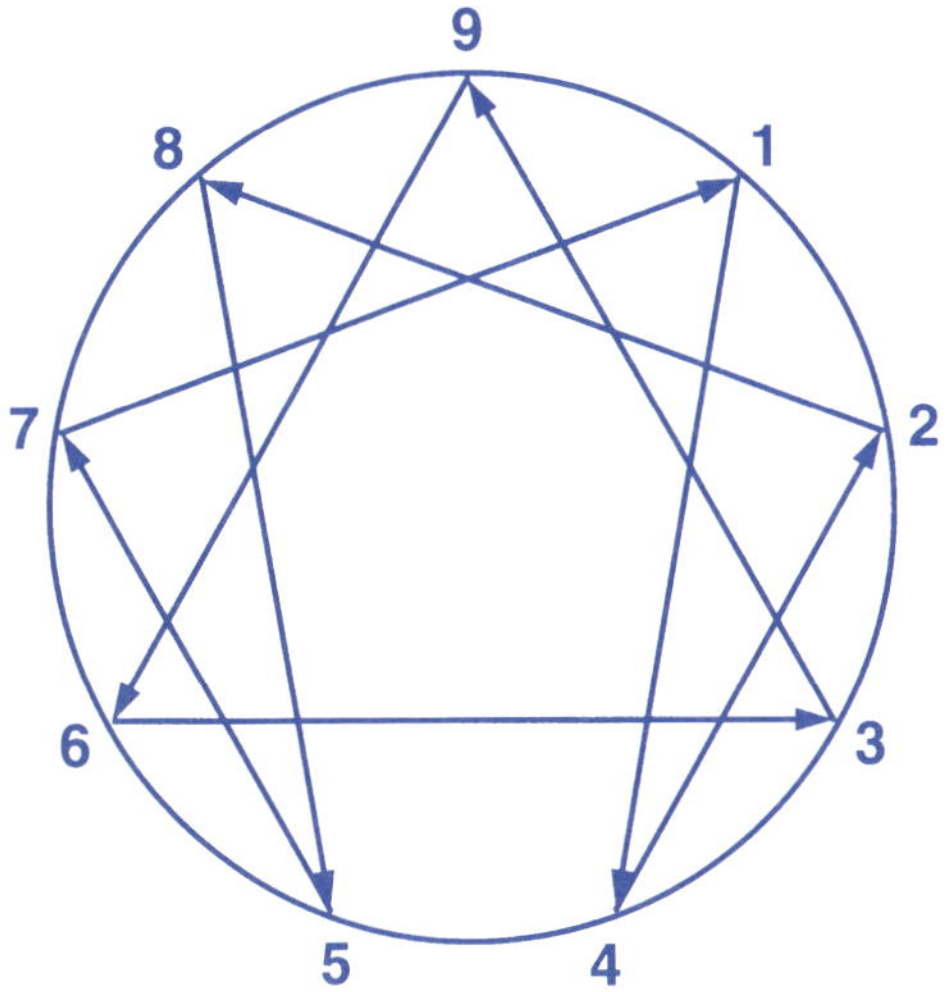

●九つのタイプについて

次にエニアグラムの九つのタイプについて紹介します。初めて読んだとき、ここに書かれた説明にぴったりの知人が、何人かあなたの頭に浮かぶに違いありません。もしあなた自身が、どのタイプかすぐにわからなかったとしても、がっかりしないでください。そのようなときには、数日後にもう一度読んでみてください。たいていの人は、2度目で自分のタイプがわかります。

タイプ1……「私は、何かを改革したい」

このタイプは、正直で几帳面、常に冷静な目で物事を判断し、忍耐力を持って、物事をやり遂げます。また、社会性にも富んでいるため、いろいろな話ができるのもこのタイプです。人生は、より高い目標のためにあると考え、向上心にあふれています。また政治的、社会的、あるいは宗教的な思想や改革に対しても、オープンな気持ちがあります。

そして自分自身に対しても、環境に対しても（完璧《かんぺき》な住まい、完璧な人間関係、完璧な職業などのような）完璧と完全さを求めます。りっぱな価値観に従って生活し、周りもそれにふさわしく改善、あるいは啓蒙《けいもう》しようとします。

一方、このタイプはまじめで仕事人間であることが多く、そのために楽しみをあきらめることも。そして、物事があまりにも易しくて気楽だと、信用しないこともあります。さらに、どんなものも、ただでは手に入らないと信じています。

このタイプの弱点は「怒り」です。これは、内にこもった怒りであり、周りからはしばしば強情だとか不機嫌だとか思われてしまいます。

タイプ2……「私は、愛し愛されたい」

このタイプは親切で愛情深く、思いやりあふれる人柄です。常に人間関係に気持ちが向いており、人にかかわり合い、人を助け、人の役に立とうとします。情報収集力に長《た》け、行動力もあり、物事を柔軟に考えることができます。何かトラブルがあっても、しこりを残さず、温かい気持ちを失うことはありません。他人の誕生日や記念日も忘れず、心のこもった贈り物をするのもこのタイプです。

また、人とうまく一緒に行動することができ、謙虚でもあります。慈善団体などは、このタイプの協力がなければやっていけないでしょう。

このタイプの弱点は「誇り」です。全面的に他人のためにという行動の背後には、実は、相手からの感謝を求める気持ち、さらには自分がなくてはならない存在でありたいというプライドがあります。意識されないかもしれませんが、これは一種のエゴイズムなのです。また、頼りにされたいという気持ちから、人にお金を与えてしまうこともあります。

タイプ3……「私は、成功したい」

このタイプは、明るくて積極的、楽天的でありながら、物事を深く感じ取ることができます。そして、将来のビジョンを具体化する能力を持っています。チームで仕事をするときなど、絶望的な状況にあるときに

は的確な解決策を見いだし、リーダーとして他の人を引っ張っていくことができるのも、このタイプです。したがってこのタイプの人は、生まれながらの企業家でもあります。

人生の関心事は、「業績を上げる」ことと「成功すること」。そのため、競争で勝つ見込みがあるとなると活気づきます。

けれども、このタイプにとって、成功は必ずしも自分のためばかりではありません。このタイプは、周りから認められたい、友達が欲しいという気持ちが強く、そのために成功を望んでいるのです。この考え方は、異性に対しても当てはまります。

ただ、ここで忘れてならないのは、成功によって友を勝ち得ても、それは必ずしも真の友ではないことです。

このタイプの弱点は「嘘《うそ》」です。他人に対してのみならず、自分自身に対する嘘。口から出任せの成功話をしているうちに、ついには自分自身が本気で信じ込んでしまうこともあります。

タイプ4……「私は、何かすばらしいものを創り出したい」

このタイプは、創造性があり、ロマンチストで、センスの良さを持ち合わせています。そして洞察力が鋭く、他人の中の特別なものを見いだす能力に長《た》けています。また、常に真正なもの、本物を求めています。なかでも、科学や芸術における、革新的なものに対して才能を発揮します。このタイプは、人と違っていることや「型破りの考え」をけっして恐れないからです。

ただし、このタイプは、自分の憧《あこが》れに振り回される恐れがあります。人生のテーマは個性的であること、つまり特別な存在でいたい、他の人とは違った存在でいたいことに尽きます。美しいもの、本当の意味で自然で優れたものに対する紛れもないセンスを持っていますが、その多くが手に入らないために苦しみ、傷つきやすく、メランコリックになったり落ち込んだりしやすいのです。しかし、いざ望みのものが手に入ると、たちまち興味を失い、「手に入らないもの」へと心を移します。

このタイプの弱点は「嫉妬《しっと》」です。優れたものを持っている他人を、羨《うらや》まずにはいられません。人と違った存在でいたいということは、裏返せば、たえず人と自分を比べずにはいられないことを意味するのですから。

タイプ5……「私は、物事の本質を究めたい」

このタイプは、聡明《そうめい》で冷静沈着、客観性を持って物事を正しく判断することができます。忍耐力があって、自分の信じたことを貫く意志を持っています。

また、マイペースであることから、個人的な領域に最も価値を見いだし、外からの義務や要求は、なるべく自分から遠ざけようとします。物事にあたるときには知識を集め、分析し、体系化しますが、感情的にはきちんと距離を置いています。

孤独を好む傾向があり、周りからは寂しそうに見えることもありますが、本人は一人でいる時間を楽しんでいます。

このタイプの弱点は「ケチなこと」です。金銭面だけでなく、知識や自分自身に関してもそれは言えます。そのため、何かに参加することや、自分の時間、気持ちなどを人に与えるのを渋る傾向にあり、冷たいなどと言われることもあります。

タイプ6……「私は、世の中を安全にしたい」

このタイプは、誠実で公正、温かい気持ちを持っていることから、他人から大変信頼されます。面倒見がよく、ユーモアのセンスも持ち合わせているので、周囲に人が集まります。そして何よりもまず勇気があります。このタイプが、内に抱えている不安や用心深さに打ち勝つと、あらゆるタイプの中で、最も勇敢になります。戦争や危機的状況において、自分を捨てることのできる偉大なヒーローは、たいていの場合、このタイプです。

けれども、いっぽうで大変用心深く、脅しに対しては（権威に対して批判的なのにもかかわらず）、権威に頼ろうとします。このタイプは、肩書などに敏感で、だれが自分より上でだれが下なのか、常に知りたがります。ただし、その際には、喜んで弱者と連帯します。

このタイプの弱点は「不安」です。安全を求め、できるだけ間違った振る舞いをしないように気をつけます。

「不安」と「勇敢さ」の二面性は、実は内に潜んだ「恐怖」から来ています。その恐怖に対して逃げるか戦うか、どちらを選ぶかで取る行動は全く違ってくるのです。

タイプ7……「私は、楽しいことをしたい」

このタイプは、楽天的で未来志向が強く、感激屋です。そして、常に幸せを求めています。現実の厳しい面には目をつむり、代わりに、さまざまなチャンスに賭けます。同時に物事を冷静に見極める、優れた感受性を持っています。また、ぜいたくを愛しますが、それは自分の周りの人にも、気持ちよく過ごしてもらい

たいと望むためでもあり、他人に対して気を遣い、「ノー」を言うのも、何かを制限するのも苦手です。

社交的で好奇心が強く、空想好きで、たえず新しい計画を立てています。けれども、一つのことに集中するねばり強さに欠け、途中で投げ出すこともあります。

また、陽気さと同時に、全体を把握できる革新的な考えも持っています。ですから職場などで、新しい企画を立ち上げ、楽しく進行させることができます。

常に人生を楽しみ、他人も楽しませたいと考えています。

このタイプの弱点は「ほどほどを知らない」こと。「多いことは良いこと」がモットーで、裕福で、楽しい仲間を好み、何に対しても浪費しすぎてしまいます。食べすぎ、働きすぎ、そして、あまりにいろいろなことを企てすぎて、うんざりしてしまうこともあります。また、ともすると軽薄な印象を与えがちです。

タイプ８……「私は、正義のために闘いたい」

このタイプは、エネルギーに満ちあふれ、正直で、対決を恐れません。そして、決然とした立ち居振る舞いで、尊敬をかちえます。ただし、我慢するのは、発散するほどには得意ではありません。その強さの背後には、傷つきやすい繊細さが隠れています。

またストレスに強く、権力を健全に行使することができます。このタイプは、自分が守るべき相手のためなら火の中にも飛び込み、敵視されることにも驚くほど見事に耐えます。そして、正義のためなら闘士になることもできます。

そのため、周りから怖がられることもあります。何よりも強さを尊び、いかなる場で

もリーダーであろうとします。

このタイプの弱点は「支配欲」です。自分が限界を超えて踏み込むことで、他人を傷つけていることには気づいていません。そのため、自己中心的で、他人に対して命令的な口調になることもあります。


タイプ9……「私は、癒《いや》したい」


このタイプは、常に平和と満足を求め、調和と心地よさを心がけています。また、人の気持ちを理解し、許すことができます。けれども、活力があるため、いったんこのタイプがやる気を出すと、大きなエネルギーを発散します。このタイプの中には趣味を多く持ち、退屈から逃れるために、たえず何かに挑戦する人もいます。

穏やかであり、一人でいるより人と一緒にいるほうを好みます。

このタイプは、ぼんやりして、何もしないでいるときと、きわめて活発に行動するときの両面があります。現実逃避型であるいっぽう、他人には協調的で、あらゆることに理解があります。したがって、ある特定の立場を取ったり、決定を下したりするのは苦手です。

このタイプの弱点は「怠惰」です。内部の葛藤を嫌うため、現状に甘んじてしまうのです。本来、面倒臭がりで、事なかれ主義なことから、逃げの態度を取ってしまうこともあります。

●さらに「本能」「感情」「思考」の三つのグループに

エニアグラムは「人間は本能、感情、思考の三つの中枢を使って行動する」と規定しています。

各タイプは、それぞれ特定の中枢を好み、三つのグループに分かれます。

１、「本能中枢」を好むグループ（タイプ１、８、９）

１、８、９、この三つのタイプは、特に「本能中枢」を好みます。これは、私たちの原始的な欲求を司《つかさど》ります（自己保存、種の保存、栄養、防御、グループ内の位置づけ、テリトリー、セックスなど）。

この中枢は、生きるエネルギーと本能が置かれているところです。感覚認識によって、一瞬にして生きるために必要な反応を決定します。「攻撃するか、逃げるか？」。これを本能的に選択するのです。

もしあなたが、対立したり、ストレスを感じたりしたときに、鈍い怒りを感じ、苦痛が身体の髄に染みこむような感じを持ったら、あなたはおそらくこのグループに入ります。

本能中枢から、タイプ１は完璧さと適切さを、タイプ８は強さと率直さを、タイプ９は不屈の意志と満足を得ています。

このグループの人の関心事は、「生」か「死」です。

このグループの人のテーマは、「私は、自分自身の主人だろうか？」に尽きます。

独立が脅かされると、どのタイプもそれぞれ怒りを示し、防御しようとします。

タイプ1の怒りは内にこもってしまい、彼らは自分の怒りを認知するために、理由や原因、それに責任のある人を探そうとします。

タイプ8の怒りは、外に向かってためらうことなく発散されます。

タイプ9の怒りは、意識の底に眠っていて、拒否するとか抵抗するとかの受け身の形をとります。

この三つのタイプは、不正や偽りに対する確固たる意識を持っています。

例えば、タイプ1は、妥協せずに状況を改善しようと乗り出します。タイプ8は、虐《しいた》げられた人や権利を剥奪《はくだつ》された人のために闘います。タイプ9は、争っている人たちに平和をもたらします。

このグループは、異性関係が危機に陥ると、次のように考える傾向にあります。

タイプ1は「この人は、私と価値観が同じなのだろうか?」、タイプ8は「この人は、私を心から望んでいるのだろうか?」、タイプ9は「私は、この人にふさわしいだろうか?」。

恋人とフェアな話し合いをしようとしますが、問題は、相手をけなすことによって、自己主張することです。

2、「感情中枢」を好むグループ(タイプ2、3、4)

この三つのタイプは、特に「感情中枢」を好みます。

ここには、あらゆる感情の結びつきがあります(母と子、家族、グループ、一族、社会)。さらに男と女の基本的な結びつきも。

争いやストレスがあるとき、このグループは、先に述べた本能中枢グループ同様、すぐにかっとなりますが、それを「心ならずも感情的になってしまった」と表現する傾向があります。そのときの気持ちは、本能中枢グループの明確なメッセージよりもはるかに矛盾に満ちています。

このグループの人の関心事は、「愛と苦悩」です。

このグループの人のテーマは、「他人とどのようにしたら、うまくやっていけるだろうか？」です。

タイプ２は、この問いは外に向けられ、他人の気持ちに影響されます。

タイプ３は、自分の感情を意識していません。代わりに、その情況にふさわしく効果的だと思える、他の人の感情に従います。

タイプ４は、「自分は、何を感じているか？」を第一に考え、その際、自分の感情におぼれてしまいます。異性関係においては、パートナーシップを「デュエット」と見る傾向があり、相手が自分を好きかどうかに強い関心を抱いています。

このグループの人は、評価され認められることを望みます。

問題は、個人的な感情を尺度にすることです。したがって客観性が欠け、そのために幻想にひたったり、錯覚に陥ったりすることがあります。

３、「思考中枢」を好むグループ（**タイプ５、６、７**）

この三つのタイプは、特に「思考中枢」を好みます。

このグループの人は、社会で経験を積むより、頭でじっくり考えるほうを好みます。

またこのグループの人は、人生を、「解かなければならない謎」だと見なしています。

このグループの人の関心事は、「不安」です。

タイプ５は、自分の感情のもつれに対する内面的な不安があり、そこから自由になりたいと思っています。

タイプ6は、不安から逃れようとして、それを別のものへと置き換えます。

タイプ7は、不安から完全に目をそむけて、新しい可能性に専念します。

このグループの人のテーマは、「距離を置くこと」です。

異性関係が危機に陥ると、人間はもともと一人だと考えます。一番いいのは、カップルがそれぞれ一人でいられることだからです。

問題は退却。わずらわしく危険な、あるいは胸の痛む外界を避け、自分の内面世界という無限に広い小宇宙へ行ってしまいます。それは、他の人からは、愛情がない、あるいは人を傷つける行為だと思われてしまうこともあります。

●結果に対する反論

類型学というのは補助手段にすぎません。そしてどんな性格分類にも反論はつきものです。ここでは一番よくある反論について紹介します。

「私には、すべてのタイプの要素が少しずつある」

こういう人は大勢います。たしかに、この九つのタイプすべてに的確な人間観察が含まれているため、真剣に自分と向き合えば向き合うほど、そんな気がするかもしれません。けれども、

この九つのタイプの中に自分の人生の主要なテーマをひとつ、見つけてください。そうすることで初めて、あなたの可能性を伸ばすことができるのです。

「混合タイプはない?」

エニアグラムには「羽」があります。これは何かというと、例えば、タイプ7は、両隣、すなわちタイプ6とタイプ8の性格を、他のタイプより多く持っているということです。ですが、エニアグラムの力は、あなたが一つのところに落ち着き、「自分の」場所で活動をして、初めて発揮されることをお忘れなく。

「私は、三つか四つのタイプにまたがっていると思う」

そのようなことはありません。ちょうどルーレットの球のように、最終的に、あなたは一つのタイプに落ち着きます。そうすると、不安も収まり、人生のどのテーマを追求すべきかわかるでしょう。テストの結果、同じような点数がいくつものタイプにまたがるようなら、もう一度、前の項目へ戻ってみてください。

「私は、タイプ10」

充分に観察すれば、どの人もこの九つのどれかに分類されます。エニアグラムは、すでに20年以上、世界中の大学で学問的にきちんと研究され、分析されてきました。今ではもう何百万人もの人々がエニアグラムによるアドバイスを受け、医学的、心理学的研究によってその正しさが裏づけられています。多くの方法を試した結果、これが自己を分析するための最高の方法だと私たちは確信しています。

「私は、一つの引き出しに入れられたくない」

エニアグラムのそれぞれの分類を制限だと思わないでください。そうではなく、これは迷路に立っているときの道しるべなのです。あなたの人格は、きわめて多彩で、さまざまな面があります。ですからあなたの本当の長所や欠点を知るには、道案内がいるのです。引き出しという言葉を使うなら、こう考えてもいいでしょう。それぞれの引き出しは計り知れないほど大きく、あなたの個性を受け入れる充分な場所がある、と。

いよいよ「シンプリファイ」を実行するときが来た！

カウンセラーやセラピストはみな、次の点で意見が一致しています。

「物事は、書き留めることによって初めて実感できる」

すでにあなたは、33のアイデアをご存じですね。72時間以内に、この中のいくつかを実行に移してください。さらに、重要な点を絞り、具体的に毎日書き出します（このために新しく何をしたか、何を考え、感じ、どうやって目指すところへ到達するつもりか、などなど）。

●「シンプリファイ・ダイアリー」のススメ

自分に自信をつけ、活動的な生活を送るための最高の手段、それが日記です。この古典的な習慣に勝るものはありません。有名な人物で日記を書かなかった人はほとんどいません。そのとき、次のようなルールに従ってください。

１、気に入った日記帳で

きれいで感じの良い日記帳を買いましょう（ルーズリーフなどは避けます）。それから、筆記用具も気に入ったものを。

2、自分自身のために

日記はあなただけのものであり、あなたの子孫のためでもありませんし、言うまでもなく、のちに発表するためのものでもありません。

3、好きなように書く

好きなように書きましょう。ためらわずに書き、間違いも直さないようにします。作文コンクールではないのです。自分のためだけに書きましょう。

4、正直に書く

内容についても添削しないように。唯一の例外は、書きながら、自分でこれは嘘《うそ》だと感じたときです。正直に書くことがなにより重要です。

5、辛抱強く書く

初めに、なんでもいいから日記を書き続ける期間を決めます。日記をつけることの真の意義を感じ取れるのは、普通3カ月ほどたってからです。

6、午前中に書く

書くのは、なるべくその日のうちの早い時間に。そのほうがさわやかな気持ちで書けることが証明されています。どこか静かな場所を探して、お茶をかたわらに。

その際、書いたことを、過ぎたことの記録ではなく、今日一日を始めるための参考と見なしましょう。

7、自由に書く

日記の効果は、数日後には表れるでしょう。これから始まる一日を、もはやあなたは義務とか迷路とか思うことはなくなり、あなたが自由に書き込める大きな紙だと思えるようになります。

8、試しに

まず試しに休暇の日記から始めましょう。しゃれたノートやペンを旅先で買うのもいいですね。この場合、右のページだけを使います。左側は、後で写真や絵はがき、思い出の切符などを貼るためにとっておきます。

●ゴール

シンプリファイへの道の最終地点に来ました。

いまだにあなたの人生は完璧《かんぺき》には整備されていないことでしょう。あいかわらずお金の問題を抱えているかもしれませんし、時間のストレスに苦しめられているかもしれません。病気になるかもしれないし、同僚や親戚《しんせき》、パートナーと何の摩擦もない、というわけにはいかないでしょう。

けれども、あなたの人生は、もはや行き当たりばったりの混乱ではなく、整理され、見通せることができるようになっているはずです。そして、その中で、あなたはもう、道に迷うことはないでしょう。そのための充分な手段を使いこなせるのですから。

訳者あとがき

現代は「氾濫の時代」です。食べ物や服、家具などのモノに始まり、情報、イベント、つき合い、はては犯罪と、何から何まであふれ返っています。そんな中でだれもが知らず識《し》らずのうちにストレスを溜《た》め込み、もっとシンプルに生きたい、わずらわしいのはうんざりだと、心の隅でつぶやいているのではないでしょうか。

タイトルが示す通り、これは「人生を単純にする《シンプリファイ》アイデア」の本です。ただ、ここで付け加えておきたいのは、この場合「シンプルにする」というのは単にモノだけではなく、「あらゆる意味で余分なもの」を整理することだということです。

取り越し苦労、発展性のない考えや思い込み、嫉妬《しっと》、非難がましい気持ちなども、私たちのお荷物になっている。そういうものも、着なくなった服同様、さっさと脱ぎ捨てよう——著者はこう言っているのです。

ヒントは実に数多く、多岐にわたっており、なによりその懇切丁寧なのに驚かされます。ハンギングファイルやステップファイルのような実用的なアイデアはもとより、仕事をシンプルにするための「仕事を任せる」の項では、「権限をゆだねる」よう勧めています。例えば、子どもにお使いを頼むというような日常的なことでも、あまり厳密に指示せず、なにか一つその子が自分で決められる余地を残しておくことが大事だというのです。「○○と××を買ってきて」ではなく、「なんでもいいからおいしそうな果物を買ってきて」というように。これは職場で同僚や部下に対するときでも同じで、さもないと相手のやる気を殺《そ》いでしまう、と。また、「おじゃま虫の退治法」の項では、訪問客の場合、すぐに用件に入り、飲み物を出さないように、などの実践的な方法の後、客を戸口まであるいはエレベーター、車まで送るよう、説いています。著者は言います。「たいして時間はかかりません。けれども、相手は自分のために時間を使ってくれたと感じます。……たったこれだけであなたは相手にいい印象を与えることができるのです」

ここまで書いてきて、本書の「シンプリファイのアイデア」の根本には、常に他人を尊重する気持ちがあることにいまさらのように思い至りました。初めて読んだときに、とても温かなものを感じたのはおそらくそのせいなのでしょう。楽しいイラストもそれに一役買っています。

どれも特別なことではなく、ごく身近なことかもしれません。けれども、それはとりもなおさず、今すぐだれにでもできる小さな変革ということでもあるのです。この本の魅力はまさにそこにあります。訳者の私も、読み終わったとき、すぐにいくつか実行に移しました（著者も、読み終わった72時間以内になんでもいいからできることから始めなさい、と言っています）。

いつもせかされているように感じている人は、無意識に時間を節約しようとして何でも雑になる――これはそのまま私のことです。例えば毎朝のコーヒー。ひいた豆を大急ぎでフィルターに入れては、こぼしていました。その結果、粉が散らかり、結局仕事が増えるのです。ゆっくり粉を入れるのと大急ぎで入れるのと、一体何秒違うのだろう……本書を読んでからというもの、なにをするときでも自分にこう言い聞かせるようになりました。するとどうでしょう、一事が万事。「ものをこぼす」「コードにつまずく」「手紙の宛名を間違える」が減っただけではありません。なんだか気持ちが落ち着いてきたのです。

また、本箱やクローゼットには「75％の規則」を採用。75％まで物が入ったら、「もうこれ以上入らない」と思うことにしています。おかげでどんなに探し物が減ったことでしょうか。

本書を読まれた方の中には、「なあんだ、こんなことなら知ってたよ」とおっしゃる方がいるかもしれません。でも、そういう方は、これを読む前から気がついていたのでしょうか？　「言われてみれば」のことが多かったのではないでしょうか。それは小さいようでいてとても大きな違いだと思うのです。

インターネット書店「アマゾン」には、読者の声が多数寄せられています。それらの多くが「どれもが実行しやすく、実際にやってみたらとても効果があった。この本のおかげで元気が出たし励まされた」と感激し、満点をつけた人が続出しています。このことはまた、本書が出版後3年目に入ってもなお、ドイツの代表的な週刊誌『シュピーゲル』をはじめ、各種のベストセラーリストでベストテン入りを続けている事実がなによりも雄弁に物語っています。

読者のみなさんが人生をシンプルにし、余計なものを脱ぎ捨てて「楽に」生きるためのお手伝いができたら、訳者としてこんなに嬉《うれ》しいことはありません。

最後になりましたが、いろいろ細かな相談に乗ってくださり、有益な助言を惜しまなかった飛鳥新社の島口典子さん、たいへんお世話になりました。本当にありがとうございました。

なお、本書を訳すにあたっては、同名のＣＤを参考に、税金や年金など、日本とドイツの事情が異なるところを中心に、一部割愛したことをお断りしておきます。

小川捷子

２００３年２月

著者紹介

ロータ－・J・ザイヴァート

1957年生まれ。時間管理の専門家として指導的な立場にいる。トレーニングとカウンセリングを専門にするザイヴァート研究所を主宰し、これまでに多くのベストセラーを出しており、20カ国以上で出版されている。またその業績にさまざまな賞が与えられ、高い評価を得ている。

ヴェルナー・ティキ・キュステンマッハー

1953年生まれ。牧師を経て、現在グラフィックデザイナー、イラストレーターとして活躍。これまでに50冊以上の本を書いている。98年から出している月刊のニューズレター『シンプリファイ・ユア・ライフ』は、2万人の購読者が毎月楽しみに待っている。

訳者紹介

小川捷子（おがわしょうこ）

大学卒業後、ドイツ、アメリカに留学。帰国後、通訳、航空会社勤務を経て、現在フリーで翻訳に携わっている。主な訳書にベストセラーとなった『月の癒し』、他に『自分の力で　月の癒しⅡ』『木の癒し』『魔女のレシピ』（すべて小社刊）がある

ASUKA
SHINSHA

すべては「単純に《シンプリファイ》!」でうまくいく

2003年3月12日　第1刷
2003年5月 8日　第7刷

著　者
ローター・J・ザイヴァート
ヴェルナー・ティキ・キュステンマッハー
訳　者
小川捷子

発行者
土井尚道
発行所
株式会社　飛鳥新社
東京都千代田区神田神保町3-10
神田第3アメレックスビル
郵便番号　101-0051
電話（営業）03-3263-7770
（編集）03-3263-7773
http://www.asukashinsha.co.jp/

印刷・製本
日経印刷株式会社

定価は、カバーに表示してあります。
万一、落丁・乱丁の場合は、お取り替えいたします。
ISBN4-87031-544-0